님께 드립니다.

_____

년   월   일

_____

세미나참가 소감 및 간증문

성령의 사람들

 성령사역연수원 출판부

성령사역연수원장

김 재 선 목사

찬양을 은혜롭게 인도하는 유미경 사모 (2010. 2 부흥회에서)

아름다운 미모와 찬양과 율동의 솜씨까지 겸비한 유미경 사모

격투기 선수로 활약하며
패기 넘치던 청년시절
(1983)

젊은 시절 원장이 직접
운영하고 있던 태권도장에서
다리를 일자로 뻗는
어렵고도 멋진 포즈를!
(1986)

갑작스레 닥쳐온 폐결핵으로 사경을 헤매던 시절 (1988)

질병의 고통으로 누워있는 아빠를 위해 기도손을 모으고 있는 아들 명철

기도훈련 전문반에서 직접 기도회를 인도하는 원장

기도훈련 전문반에서 힘써 능력기도를 하고 있는 연수원생들

CTS기독교TV 에서 설교하는 원장 김재선 목사 (2009.1)

근성치유세미나를 진지하게 수강하고 있는 연수원생들 (2010.7)

사역인도반 수료식 (2008.3.27)

강사반 수료식 (2008.7.24)

강사훈련반 수료식 (2008.12.18)

사역반 수료식 (2009.6.25)

사역훈련반 수료식 (2009.12.17)

기도훈련반 수료식 (2010.6.17)

지리산에서 밤새워 기도하고 날이 샐 무렵 하산하면서 (2009.7)

지리산 실전기도 훈련 현장에서 (2010.7)

세미나 참가 소감 및 간증자 1 (가나다순)

강성대 목사   강은희 집사   고광종 강도사   권순길 전도사

김성희 강도사   김영만 목사   김은임 목사   김일곤 목사

김정현 목사   노영심 전도사   마혜옥 권사   문정애 집사

박금서 목사   박명원 선교사   박원숙 집사   박인구 목사

박태종 목사   변경복 목사   손화평 목사   신수영 집사

세미나 참가 소감 및 간증자 2 (가나다순)

신예은 목사

심옥화 집사

안혜숙 전도사

오봉기 목사

옥윤진 목사

유숙진 집사

이영주 원장

이장원 청년

이한홍 목사

이행복 목사

정삼열 장로

진홍선 목사

최건묵 목사

최경선 집사

최상호 목사

최은자 전도사

황광식 목사

황호상 목사

능력의 사자로 한 시대를 선도해 가고있는 원장 가족의 행복한 한 때

이름도 빛도 없이 수고하는 연수원의 봉사자들

원 장
김재선목사

특수부대식 기도 특공훈련
무료세미나

성령사역연수원. 듀나미스 영성아카데미
듀나미스 영성훈련원 . 성령의 능력교회

특수부대식 능력 기도는 영의 세력을 치고 들어가 선제공격을 통해 파쇄하여, 정복, 굴복, 결박시켜, 문제를 해결하는 능력 기도로 기도 줄을 잡고 기도 줄을 타는 훈련으로 누구나 단 한번의 훈련으로 쉬지 않고 밤을 세며 기도할 수 있는 최고의 능력 기도입니다.

특수부대식 능력 기도를 통해 암 병이 고침 받고 귀신이 떠나가며 수십년 기도해도 해결되지 않던 문제를 해결 받는 일은 너무나 많이 일어나기 때문에 본 훈련을 받으신 분들은 이런 일은 당연한 일로 여기고 있습니다.

단 한번 참석으로도 이 시대 최고의 능력 기도의 강력한 영권을 받게 됩니다.

일　시: 15차: 2010년 8월 23일(월) 2시~ 8월 25일(수) 1시까지

　　　16차: 2010년 8월 30일(월) 2시~ 9월 1일 (수) 1시까지

　　　〈훈련은: 월 2:00-6:30. 화 9:30-6:30. 수 9:30-1시까지〉

대　상: 목사. 강도사. 전도사. 사모. 기도원장. 모든 기독교인.

인　원: 매회 선착순 150명〈전화로 지금 등록〉

교통편: 5,7호선 군자역 4번 출구 50m 육교옆 (기업은행 빌딩)

등록비: 무료 (자료 식사무료 제공, 숙박자유)

성령사역연수원

서울시 광진구 중곡2동 140-2　D.S빌딩
010-4440-9002. 010-4441-9002. 016-612-7697

국민일보에 실린 세미나 안내 광고

성령의 사람들

 성령사역연수원 출판부

머리말

소중한 사람들의 이야기

사람이 세상에 태어나 살아가는 삶은 한 개인에게는 일생이지만 세상 모든 만사와 역사를 주관하시는 하나님의 시간 속에서는 짧고도 짧은 어느 정점과 같은 시간에 불과 할 것입니다.
그러나 하나님의 관점에서 그 짧은 시간도 우리에게는 참으로 소중하고 귀한 시간이기에 하나님은 우리를 그 아들의 피를 통해 구속하셨고 은혜와 진리를 주셔서 날마다 소망이 넘치는 믿음의 삶을 살도록 인도하고 계십니다.

하나님의 살아계심과 하나님께서 내게 행하신 일들을 많은 사람들에게 전한다는 것은 세상의 어떤 일보다도 더 가치 있고 귀한 일이라고 생각합니다. 그 귀한 일을 입을 통해 언어로 전하게 되면 현장에서 듣는 소수의 사람들만 은혜를 받게 됩니다.
그러나 글로 전한다면 오래도록 많은 사람들이 은혜를 받을 수 있으므로 글로써 하나님의 살아계심을 전한다는 것은 더욱 귀한 일이라 여겨집니다.

그동안 저희 〈성령사역연수원〉의 기도훈련 전문반 과정에 1,000여명의 수료생이 배출되었고 이번 학기에도 기도훈련 전문반 과정에 200여명의 목회자와 평신도 지도자들이 매주 훈련을 받고 있는데 이제는 연수원의 사역을 세상에 좀 더 널리 알려야 할 시점이 된 것 같아 많은 분들의 협력과 기도 속에 「성령의 사람들」이라는 "세미나 참가 소감 및 간증집"이 수줍은 한 송이 꽃처럼 살며시 세상에 얼굴을 내밀게 되었습니다.

이 작은 책은 〈성령사역연수원〉에서 현재 훈련받고 있는 분들의 세미나 참가 소감과 간증문으로서 하나님의 역사하심으로 인해 인생이 바뀌고, 환경이 바뀌고, 삶의 가치관과 인생관이 바뀌고, 삶의 목적이 바뀐 소중한 사람들의 이야기입니다.
이 한 권의 책이 누군가의 손에 들려질 때, 이곳에서 행하여졌던 하나님의 살아 역사하시는 생생한 체험들이 그대로 전달되어 목회의 열정과 자신감을 잃고 있는 목회자들에게와 신앙생활 속에서 더욱 큰 영적은혜를 사모하며 갈급해 하고 있는 평신도들에게 큰 활력소가 될 수 있기를 기대합니다.

이 뜻깊은 일을 위해 편집책임자로 헌신하여 준 전주의 진홍선 목사님과 편집위원으로 수고한 거제도의 김정현 목사님, 서울의 신수영 집사님과 바쁜 목회와 삶의 일정 속에서도 마다하지 않고 원고를 작성하시느라 고심이 많았던 모든 분들에게도 감사의 마음을 전합니다.
아울러 연수원의 간증집 출판을 귀하게 여기고 이 책이 널리 배포되어 더 많은 이들에게 연수원의 사역을 알리어 세미나에 참여하게 하므로 목회와 신앙생활의 활력을 되찾게 하는데 뜻을 같이하여 출판비를 헌금해 주신 김은일, 이희연 집사님 부부에게도 감사를 드립니다.

그리고, 연수원의 10여명이 넘는 봉사자들이 구슬땀을 흘려가며 수고해준 아름다운 헌신 또한 기억하고 있습니다.

제가 하나님이 원하시는 목회자로 쓰임 받게 되고 〈성령사역연수원〉이 여기까지 성장하며 달려 올 수 있도록 힘이 되어 준 또 하나의 손길이 있습니다. 결혼 초기에 폐결핵으로 피를 토하며 사경을 헤매고 있을 때 그 절망스런 상황 속에서도 낙심하지 않고 저를 끝까지 믿고 뒷바라지 해 주며 눈물의 기도로 함께 해 준 아내 유미경 사모입니다. 오늘에서야 이 지면을 통하여 한아름 꽃다발대신 감춰 두었던 고마움과 사랑의 마음을 전하고 싶습니다.

또한 저의 투병생활의 어려움속에서도 어긋나지 않고 믿음으로 바로 성장해 주어 지금은 건실한 청년이 된 아들 명철, 딸 찬양이와도 따뜻한 손을 잡고 출판의 기쁨을 함께 하고 싶습니다.

이 책을 읽는 모든 분들이 각자의 환경과 삶에서 이 마지막 시대에 하나님의 위대한 전사로 쓰임 받으며 하나님을 마음껏 전하는 증거자들이 되기를 소망합니다.

2010년 7월 15일

지리산 실전기도 11차를 다녀와서

성 령 사 역 연 수 원

원장   김 재 선 목사

차 례

　　　 기도 세미나

은사 세미나

치유 세미나

영의 세계 세미나

성경 및 설교 세미나

프로필

김 재 선 목사

(성령사역연수원 원장)

폐결핵으로 온 몸이 피로 뒤범벅이 되었던 한 인간이 죽음의 문턱에서 기적적으로 하나님을 만났다. 아무런 소망도 없던 그 시절, 죽음의 사선을 넘지 않기 위해 몸부림치던 가녀린 육체가 극적으로 주님을 만나 소생하기 시작했다. 그리고 남들이 말하는 사명이라는 것을 깨달으면서 주님께 제대로 한번 헌신해 보겠다고 부단히 애를 썼다.

피를 토하는 생사의 길목에서 든 신학교 가방은 너무나 무거웠지만 그 가방은 마지막 남은 생의 소망의 빛이었다. 주님은 그 마지막 소망의 길에서 은혜를 베풀어 꺼져 가던 한 생명을 기적적으로 살려 주셨다.

교회를 개척하여 놀라운 부흥의 열기에 감격하기도 잠깐, 모든 성도가 떠났고 슬픔과 절망에서 목회를 포기하려 교회 간판을 때리려고 옥상을 오르내리기를 수십 번!

그러나 하나님이 두려워서 이것도 실패로 끝났다.

이때부터 하나님의 계획 속에서 혹독하고 잔인하리만큼 무시무시한 훈련이 시작되었다. 끝없이 계속된 강단 철야, 산기도 철야, 20여 년간 지금까지 계속되고 있는 아침 금식, 그리고 1년에 두 달 이상씩을 지리산(세걸산) 8부 능선의 첩첩 아득한 산중에서 죽음과 견줄 만한 혹독한 기도 훈련을 받게 하셨다. 그렇게 훈련시키신 하나님께서 한국교회의 목회자와 평신도를 영적으로 바로 세워 나가는 새로운 사역의 출발을 허락하셨다.

그 후 고속도로에서 부부가 함께 대형 교통사고를 당해 김재선 목사는 흉추 7,8,9,10번 그리고 유미경 사모는 흉추 10,11,12번이 부서지는 장애를 입고 받게 된 보상금으로 세상 속에 하나님의 위대한 전사를 세우기 위한 산실과 같은 성령사역연수원을 광진구 중곡동에 설립하여 강력한 카리스마를 가지고 그 사역을 오늘도 힘차게 감당하고 있다.

기도세미나

† 특수부대식 기도특공훈련 세미나

† 특수부대식 기도훈련 전문반

† 특수부대식 집중기도훈련

† 특수부대식 지리산 실전기도훈련

화재의 잿더미에서 새롭게 일어서다

최 건 묵 목사

(1기 예일교회/인천)

제가 〈성령사역연수원〉에 처음 발을 디뎠을 때는 영적으로나 육적으로도 참으로 힘든 시기였습니다. 이전에 부천에서 목회를 할 때, 교회 성도가 3~40명으로 늘어나면서 부흥하던 중 어느 순간 교회에 시험이 찾아왔습니다.

그러자 성도들이 하나 둘씩 교회를 떠나기 시작하더니 할머니 한 분, 교회 건물 주인집 아들 두 명, 고등학생 두 명만 남겨 놓고 다 떠나고 말았습니다.

교회를 개척하면 처음에는 부흥되는 듯 하다가 어느 시점이 되면 번번이 무너지곤 하는 것이었습니다. 이런 일이 반복되자, 저는 목회의 큰 한계를 느끼며 내 자신이 참으로 무능력하고 소경 같은 인도자라는 생각에 깊은 나락으로 떨어지는 것을 느끼곤 하였습니다. 그러면서 기도한다고 하지만 힘 있게 기도하기보다는 꾸벅꾸벅 졸고 있을 때가 한두 번이 아니었으며 그런 내 모습을 바라보고 있노라면 깊은 한숨이 절로 나며 영적 곤비함이 역력하게 나타나 저를 괴롭혔습니다. 목사로서 기다려져야 할 예배 시간이 도리어 괴로운 시간이 되었고 설교하러 강단에 올라가는 것이 마치 도살장에 끌려가는 그런 기분이었습니다. 솔직히 이때는 모든 것을 내려놓고 도망가고 싶은 심정 뿐이었습니다.

그래서 푸념하듯이 "나는 소경 같은 인도자야! 눈 뜨고도 마땅히 보아야 할 것을 보지 못하는 소경된 인도자야! 마땅히 들어야 할 음성을 듣지 못하는 귀머거리야!" 혼잣말로 이렇게 중얼거리면서 한편으로는 괴로움 속에서 헤매고 있었고 한편으로는 영적인 은혜를 갈망하고 있었습니다.

그러던 3년 전 어느 날 국민일보 광고란을 보다가 「특수부대식 기도특공훈련 무료세미나」를 한다는 광고가 눈에 확 들어왔습니다. 도대체 특수부대식 기도는 어떻게 하는 것인지 매우 궁금한 마음으로 이 무료 세미나에 참석하게 되었습니다.

첫째 날에는 기도에 대한 이론 강의, 둘째 날 오전에는 이론 강의와 오후에는 능력기도 실기 훈련, 셋째 날도 강의와 기도 실기로 이루어졌습니다.

첫째 날 강의를 듣다보니 내가 기도의 공황기에 빠져 있었다는 것과 내 기도가 중언부언하는 기도를 하고 있다는 것을 알게 되었습니다. 김재선 목사님께서 일부러 나 들으라고 작정하고 하시는 말씀처럼 내 귓전을 울리며 마음속에 파고 들어오는 것이었습니다.

그리고 둘째 날 오후 능력기도의 실기 시간이 되었습니다.

김재선 목사님께서 단 단어 방언으로 "팍, 팍, 팍, 팍" 하고 인도하면 우리는 따라서 "팍, 팍, 팍, 팍" 이렇게 리듬을 타며 기도를 하였습니다. 그런데 나는 맨 뒷자리에 앉아서 그렇게 들렸는지 모르지만 "팍, 팍, 팍, 팍" 하는 기도 소리가 엄청난 대 군사의 위협적인 함성소리로 들려왔습니다.

생전 처음 듣는 기도소리에 거부감이 느껴졌고 문득 의심이 생겼습니다. '혹시 내가 잘못된 곳에 오진 않았나, 이러다가 내가 잘못 되지는 않을까 하는 착잡한 심정으로 오늘만 참석하고 내일부터는 오지 말아야 되겠구나' 하는 생각이 들었습니다. 이런 마음을 먹고 있는 그 순간에 번개와 같이 스쳐가는 말씀이 있었습니다. 하나님께서 의심하는 나에게 두 가지 말씀을 주신 것입니다.

첫째는 여리고 성이 함락되는 말씀이었는데 이스라엘 백성들이 여리고 성을 돌 때 마지막 날 여리고 성을 일곱 번 돌고, 이스라엘 백성들이 크게 소리 질러 함성을 지를 때에 여리고성이 무너지는 말씀이었습니다. 둘째는 기드온의 삼백 용사들이 미디안과 싸울 때에 항아리를 부수고, 나팔을 불며, '여호와와 기드온의 칼이여!' 하고 함성을 지를 때에 미디안의 적들이 섬멸되는 말씀을 주시는 것이었습니다.

그리고는 성령의 감동으로 마음속에 음성이 들려오는데 '이 기도가 능력기도이다. 이 기도가 사단을 때려잡는 능력기도이다!'

하는 감동의 소리가 들려오는 것이었습니다. 저는 그 말씀에 붙들려 의심을 내려놓고 능력기도를 열심히 해야 되겠다는 결심을 하고 「특수부대식 기도훈련 전문반」 1기에 등록하여 지금까지 3년째 매주 나와서 계속 훈련을 받고 있습니다.

그러면서 이곳 연수원에서 행하는 모든 세미나에 참석하여 훈련 받아야 되겠다는 강력한 마음이 불일 듯 일어나 모든 세미나를 한 번씩 다 참석하면서 그간 잘 알지 못했던 영의 세계에 대하여 배우게 되었습니다. 김재선 목사님을 통해서 영의 세계를 깨달아 알게 되니까 제가 부천에서 목회하는 장소가 영적으로 터가 안 좋다는 것을 알게 되었습니다.

교회가 세 들어 있는 건물이 총3층이었는데 건물 주인은 3층에 살고 있었고, 교회는 2층을 사용하고 있었습니다. 그곳에서 목회를 할 때에 1층에 세 들어 주방기구 싱크대 사업을 하시던 분이 그 가게에서 갑자기 목매어 자살한 일이 있었습니다. 건물의 터에 대해서 자세히 알아보았더니 예전에 상여집이 있었던 자리라는 것을 알게 되었습니다.

그래서 교회를 옮기는 것이 좋겠다는 생각을 하고 이전할 건물을 알아보러 다니던 2009년 8월 28일 오후 6시경, 교회 건물 주인 아주머니의 다급한 전화가 걸려 왔습니다. 교회에 불이 났으니 빨리 오라는 것이었습니다. 저는 교회에 불이 났다는 건물주인 아주머니의 전화를 받고 황급히 교회로 달려갔습니다.

이미 불이 번져 교회 창문에서 불길과 함께 시커먼 연기가 나오고 있었습니다. 아직 소방차가 오지 않은 상태였습니다. 저는 다급한 마음에 교회 열쇠로 교회 문을 열려고 하였습니다. 그런데 문이 열리지 않는 것이었습니다. 살펴보니 출입문에 부착되어 있는 옛날 자물쇠가 잠겨 열리지 않는 것이었습니다. 이 옛날 자물쇠는 새 열쇠로 바꾼 후 사용하지 않던 것인데 이 자물쇠를 열 수 있는 사람은 주인밖에 없었습니다.

소방차가 와서 화재를 다 진압하고 다음날 아침 일찍이 화재가 난 교회를 가 보았습니다. 그런데 이상한 점을 발견하였습니다. 교회 바닥에 처음 보는 낯선 운동화가 있었고 교회 창문 커튼이 양쪽으로 쌓여져 있었습니다. 누가 일부러 불이 더 이상 번지지 못하게 커튼을 떼어서 한쪽으로 쌓아 놓은 것이었습니다.
이 부분이 의심스러워 소방관을 찾아가 화재 진압을 하면서 커튼을 떼어 놓았느냐고 물었더니 커튼을 떼지 않았다고 하였습니다. 그렇다면 불이 번지지 않기 위해서 누가 미리 커튼을 떼어 놓은 것으로 생각하게 되었습니다. 아마도 건물 주인이 교회로 사용하던 2층을 다른 누구에겐가 더 좋은 조건으로 세를 놓을 생각에 빨리 교회를 내 보내야 하는 방법으로 방화를 한 것이 아닌가 하는 의심을 지울 수 없었습니다. 커튼을 떼어 놓지 않으면 자기네가 살고 있는 3층까지 불이 번질까 봐 옛날 열쇠를 가지고 있던 주인이 미리 조치를 취한 듯 보입니다. 담당 경찰 수사관들을 찾아가서 자세히 수사해 줄 것을 요청했지만 담당 형사들은 자꾸 건물 주인 편에 서서 수사를 하는 듯 보였습니다.

그래서 저는 그때 생각하기를 '공정한 수사가 안 되겠구나' 하고 하나님께 기도하기 시작했습니다. 「기도훈련 전문반」에서 그동안 배운 능력기도로 영적인 실체를 떠올려 놓고 얼마나 쳐부수는 기도를 하였는지 모릅니다.

화재가 난 지 한 달이 조금 지난 10월 둘째 주에 하나님의 도우심과 김재선 목사님의 자상한 보살핌으로 저는 인천 임학동에 있는 새로운 건물에서 새롭게 목회를 하게 되었습니다. 지나고 보니 이렇게 이루어진 모든 과정들이 능력기도의 결과로 합력하여 선을 이루게 되었다는 것을 깨닫게 되었습니다.

제가 새롭게 목회하게 된 임학동의 교회는 연수원에서 훈련받고 있는 어느 전도사님께서 목회를 하시다가 잠시 목회를 접으시면서 연수원에 드려진 교회인데, 김재선 목사님께서 제 사정을 들으시고는 아무 조건 없이 저에게 다시 목회할 수 있도록 사랑의 배려를 해주심으로 그 건물을 넘겨받게 된 것입니다.

그곳에는 모든 시설이 다 갖추어져 있어서 아무 것도 준비할 것 없이 새롭게 목회를 하게 되었습니다.

교회에 화재가 났을 때 정말로 낙심할 수밖에 없는 상황이었지만 그동안 나름대로 열심히 능력기도 훈련을 받았더니 하나님께서 연수원을 통해서 제가 다시 목회 할 수 있도록 역사하신 것입니다.

지금까지 능력기도를 통해서 행하신 하나님의 큰 역사 앞에 뜨거운 감사를 드리며 또한 제가 다시 목회를 할 수 있도록 길을 열어주신 김재선 목사님께도 감사드립니다.

그리고 옥합을 깨뜨리는 심정으로 자신의 목회하던 교회 건물을 하나님께 드림으로 아름다운 일을 행하신 전임 사역자에게도 감사드립니다.

4시간 기도! 이제 나도 할 수 있다

정 삼 열 장로
(2기 성령의 능력교회)

평소 가까이 지내고 있던 전도사님을 통해 특수부대식으로 기도 훈련하는 곳이 있으니 참석하지 않겠냐는 권유를 받고 참석키로 약속했습니다. 오랜 신앙생활 속에 기도는 한다고 하였지만 기도의 깊은 세계, 기도의 응답, 어떻게 기도해야 하는 것인지 등에 관한 확실한 답이 없던 차에 「특수부대식 기도특공훈련 세미나」라는 주제의 매력에 이끌리어 〈성령사역연수원〉을 찾게 되었습니다.

기도는 평생을 해야 하는 것인데 능력기도는 어떻게 하는 것인지, 기도 응답은 어떻게 받는 것인지 등 궁금한 점이 한두 가지가 아니었습니다. 저로서는 기도 훈련 세미나를 처음 대하는 것이기에 깊은 관심을 가질 수밖에 없었습니다.

기대에 찬 발걸음으로 연수원을 찾았더니 많은 목회자님들을 비롯해 전도사님, 사모님 등 많은 사역자분들이 등록하는 것을 보았습니다. 현관에 들어서는 순간 벽면에 대형 현수막으로 많은 내용의 세미나들이 소개되어 있었습니다. 족히 20여 가지나

되는 듯 보였습니다. 그중에서도 「특수부대식 기도특공훈련 세미나」, 또 「특수부대식 기도훈련 전문반」, 「16시간 집중 기도훈련」, 「지리산 실전기도훈련」 등 기도에 대한 훈련 내용들이 제 마음과 눈길을 사로잡았습니다. 이곳엔 무엇인가 기도에 대한 확실한 답이 있겠다는 감동이 왔습니다. 또한 그밖에도 처음 들어보는 「꿈해석 세미나」, 「대물림의 고통을 끊는 세미나」, 「근성치유 세미나」, 「희한한 능력 세미나」, 「천사론 세미나」, 「마귀론 세미나」 등 여러 종류의 세미나가 소개되어 연수원에서의 사역에 더더욱 관심을 갖게 되었습니다.

"특공 훈련"이란 말은 군대에서나 사용되는 용어인지라 표현 자체가 힘이 있고 강하게 느껴지면서 특수 요원 훈련하듯 기도에 대한 강한 훈련이 행하여지는 곳인가 보다 하는 느낌을 받았습니다. 세미나가 시작되기 전, 유미경 사모님의 찬양 인도는 너무 은혜로워서 저의 마음을 열리게 하였고 마음속에 찬양의 기쁨과 감사와 뜨거움을 느끼게 하고 입을 열어 찬양에 동참하였습니다.

김재선 원장 목사님의 말씀과 강의를 들으면서 그간에 기도하라는 말씀은 많이 들었으나 어떻게 기도해야 할지 몰라 제멋대로 기도했던 내 자신을 보며 심히 부끄러움을 느끼지 않을 수 없었습니다. 기도하면 무엇이든 해결이 된다고 하지만 문제가 풀려지지 않고 답답하기만 하던 신앙생활을 하면서 새벽기도, 철야기도, 작정기도, 금식기도 등 기도의 종류는 알고 있는데도 실제로 기도의 참 능력, 기도의 진수를 느껴 보지 못하였기에 기도하다 지치게 되고 또 끈기있게 매달리지 못하는 경우가 많았습니다.

이런 안타까운 현실 속에서 수학 공식을 알면 그 문제가 쉽게 풀어지듯 기도의 방법과 원리가 성경 속에 다 있고 어떻게 해야 승리를 가져올 수 있는 것인지 하나하나 배우게 되었습니다.

능력기도는 어떻게 하는 것이며, 기도는 어떻게 해야 응답이 오며, 어떻게 해야 영의 깊은 세계를 들어가는지를 원장님의 말씀과 생생한 체험을 통해 듣게 되었을 때 기도에 대한 자신감을 갖게 되었습니다.

이 세미나를 통해 능력기도를 통하여 영적 싸움을 하게 될 때 악한 사단의 궤계를 싸워 이길 수 있는 전술과 전략, 악한 세력을 이기는 방법을 알게 되었습니다.

원장 김새선 목사님께서 직접 인도하시는 기도 실기 시간은 우리로 영력을 쌓게 하고 영의 깊은 세계를 체험케 하는 놀라운 시간이었습니다.

말세를 살아가고 있는 현대인들이 영적으로 졸고 있는 이때에 주님께서도 깨어 있어 기도하라고 하셨는데 「기도특공훈련 세미나」를 통해 능력기도의 원리와 방법을 듣게 되었을 때, 왜 이런 곳을 더 일찍 알지 못했을까 하는 안타까운 마음이 들었습니다.

기도만이 하나님을 만날 수 있는 통로요, 기도만이 하나님의 도우심을 입고 영적 싸움을 이길 수 있는 능력이요, 기도만이 하나님의 뜻을 알 수 있는 길임을 다시 깨닫게 되었습니다. 특히 30분만 기도하려고 해도 오금이 저리고 기도 내용도 별로 없어서 장시간 기도가 매우 힘들었고 그동안에는 영적인 것은 외면한 채, 이 세상 것만 구하는 기도였는데 한 시간도 아닌 서너 시간을 기도한다는 것은 상상도 못할 어려움으로만 느껴져 왔습니다.

둘째 날이 되어 오전 기도 세미나를 마치고 오후 실전 기도 훈련이 시작되었습니다. 원장 목사님의 기도 인도에 따라 기도 줄을 잡고, 기도 줄을 타고 기도하게 되면 길게 느껴지던 기도가 어느새 끝나게 된다고 말씀하셔서 가르쳐준 대로 따라해 보려고 애를 썼습니다.

그러나 가장 큰 어려운 문제는 70이 넘어가는 나이라 장시간 무릎을 꿇기가 매우 힘들었고 또 기도에 집중도 안 되고 잡생각이 자꾸 떠올라 김재선 목사님이 인도하는 대로 따라 가지를 못하는 것이었습니다.

이렇게 2박 3일의 무료 세미나 일정을 마치고 본격적으로 기도 훈련에 돌입하는 「특수부대식 기도훈련 전문반」 4개월 코스에 등록하여 기도 훈련을 받기로 작정했습니다.

그 후 「기도훈련 전문반」에서 기도 훈련을 받기 시작했을 때 기도의 세계가 무엇인지를 더욱 확실히 알게 되었으며 원장 김 목사님의 기도 인도를 따라 영적 세계를 이끌어 주는 대로 기도 줄을 잡고 영의 감각으로 리듬에 맞춰 따라갈 때 기도가 몰입이 되어 집중기도가 되면서 영권, 영력이 쌓인다는 것을 배우게 되었습니다. 이렇게 전문반 과정을 통하여 훈련받는 가운데 그렇게 꿈만 같았던 4시간 기도를 이제 저도 할 수 있게 되었습니다. 할렐루야!

아직도 기도에 대해 부족한 점이 너무 많지만 이제 기도의 원리와 방법을 어느 정도 터득하게 되어 저 혼자 기도할 때에도 영의 세계를 맛보기도 하고 영의 깊은 세계에서 환상을 보기도 합니다.

연수원의 기도 훈련을 통해 오늘의 제 삶과 신앙의 가치관이 달라지고, 신앙의 목적이 확실해지고, 믿음의 자세가 너무나 변했음을 느낍니다. 기도를 통해 하나님을 기쁘시게 하는 삶, 하나님의 계획대로 쓰임 받는 인생, 하나님께 마음을 드리면서 세상 것에 중심을 빼앗기지 않도록 노력하게 되었습니다.

원장 김재선 목사님의 애타는 심정으로 마이크를 손에 잡고 매주 4시간 동안 쉬지 않고 직접 기도를 인도해 주시며 우리를 영의 깊은 세계로 이끌어 주시는 그 열정과 수고에 깊이 감사를 드립니다. 또한 집중기도를 통해 16시간 30분, 지리산 실전기도를 통해 밤 10시에서 새벽 6시까지 철야기도를 할 수 있게 되었습니다.

기도의 세계에 대해 더 알고 싶어 갈급해 하고 궁금하신 분들,

실제로 가죽 허리띠를 두르고 기도 해보지 않고는 도무지 느낄 수 없는 능력기도의 세계, 영력과 영권이 쌓여져 가는 세계를 경험해 볼 수 있도록 이 강력한 기도 훈련에 참석해 보기를 정중히 권유합니다.

그 어떤 악한 영들이 감히 덤빌 수 없는 하나님의 권세와 능력, 그리고 하나님의 살아계심과 전능하심을 기도의 깊은 세계를 통하여 느끼며 오늘도 겸손한 마음으로 주님 앞에 나아가기를 소망합니다.

왜 걱정하십니까? 기도할 수 있는데

마 혜 옥 권사
(1기 성령의 능력교회)

저는 남편의 사업이 절망적인 상황에서 기도를 해도 사방으로 포위를 당한 듯 너무 답답한 가운데 내 기도에 혹시 무슨 문제가 있는 것은 아닌가 하는 생각을 하고 있을 때, 「특수부대식 기도특공훈련 세미나」를 알게 되었습니다.

그 당시 세미나는 지금과 약간 달라서 한 달에 한 번씩 진행되는 과정으로 하였는데 월요일 오후부터 교재를 가지고 강의하시고 화요일 오후에 2~3시간, 수요일 오전 끝나기 전 1~2시간 실제 기도 훈련을 했습니다. 반신반의하는 심정으로 세미나에 참석했는데 목사님 말씀을 들으며 기도에 대한 이런 말씀도 있었는가 할 정도로 귀가 번쩍 뜨이며 사흘간의 세미나가 눈 깜짝할 사이에 지나가는 것 같았습니다.

그리고 실제 기도 훈련하는 시간에는 목사님의 기도 한마디 한마디를 흉내라도 내겠다는 심정으로 정말 열심히 따라 했습니다. 또 나를 공격하고 누르는 적들을 사정없이 치고 자르고 짓밟으라는 김재선 목사님의 말씀에 제 팔이 검인 양 수없이 치고 또 쳤습니다. 기도 후에 팔을 쓸 수 없을 정도로 아팠지만 나를 에워싼 수많은 적들을 물리친 승리감에 정말 기분이 좋았습니다.

다음 달 세미나가 기다려지고 그렇게 열심히 참석하는 가운데 남편 사업이 조금씩 좋아지며 물질적으로 풀리기 시작했습니다. 그러나 하나님은 우리의 믿음만큼 일하시고 열어 주시는 분이시기에 조금씩 좋아지긴 하였지만 원래 체력적으로 너무 약해서 금방 피로가 오고 소심하며 내성적인 저는 사람들을 대하는 것도 싫어하고 왠지 모를 두려움과 앞날에 대한 염려가 끊이질 않았습니다. 그런 가운데서도 저는 최선을 다해 목사님이 시키는 대로 집에 있는 날은 한두 시간씩 기도하며 허리를 쓰는 기도를 하기 위해 허리에 손을 대고 의식적으로 연습까지 해 가면서 일주일에 3일 이상은 기도하기에 힘썼습니다.

그렇게 하면서 매주 목요일 4시간 이상 기도하는 「특수부대식 기도훈련 전문반」 과정과 1년에 두 번 있는 「16시간 집중기도훈련」, 7월과 8월에 3박4일씩 밤을 꼬박 새워 날이 샐 때까지 기도하는 「지리산 실전기도훈련」 등 기도와 관련된 세미나는 무조건 참석했습니다.

오늘까지 많은 시간이 지났는데 지금 이 시점에서 저의 환경과 제 모습을 보면 많이 달라진 것을 확인할 수 있습니다. 아직 남편 사업이 완전히 정상으로 돌아오진 못했지만 이스라엘 백성을 광야에서 만나와 메추라기로 먹이시고 편 팔과 큰 능력으로 인도하셨듯이 저의 가정을 인도하셨다고 말할 수 있습니다.

한두 가지 예를 들면, 남편 사업이 처음에 조금 좋아지는 듯하다가 2008년 말에 또 다시 위기가 왔습니다. 하나님 뜻이 무엇인가 하는 마음으로 다시 갈등과 회의가 오고 힘든 가운데 하나님은 역사하셨습니다. 원료를 살 돈이 없어 제품을 생산할 수도 없는 상황인데 국내의 모 기업에서 우리가 하는 업종을 하다가 다른 업종으로 바꾸면서 대량의 원료를 폐기 처분하는 상황에서 하나님은 우리와 연결시켜 주셔서 1년치 1억 원이 넘는 원료를 공짜로 얻다시피 한 단돈 3백만원으로 사게 하셨습니다. 이후 계속해서 일거리를 만들어 주셔서 지금까지 계속 제품을 생산할 수 있게 하셨고 몇 년씩 밀려 있던 자금 문제의 많은 부분 해결하게 하셨습니다.

또 하나님께서는 남편이 개발한 기술력으로 첨단 사업을 할 수 있는 가능성을 보여 주셨고 자금 투자를 받기 위해 국제적으로 알려진 미국의 기업과 계약을 하는 것이 유리한 상황이었습니다. 그러나 100만 달러의 큰돈이 계약금으로 필요한 상황이었는데 아직 제대로 정상화되어 있지 않은 남편 회사에 그런 큰 액수를 투자하려고 하는 기업체가 없었습니다. 하나님 뜻이 어디에 있는지 몰라 답답한 상황에서 컨설팅 회사 이사 한 분이 남편보고 미국에 가서 먼저 임시 계약서를 받아오면 투자자를 연결해 주겠다고 제의를 해 왔습니다.

그래서 남편이 메일을 주고 받으며 알게 된 미국의 기업의 사장에게 가서 미팅을 의뢰했더니 여비서가 아예 일언지하에 거절

했지만 무작정 가겠다고 통보하고 미국행 비행기를 탔습니다. 가는 일정을 너무 갑자기 잡는 바람에 통역해 줄 사람을 미리 알아볼 수 없어서 영사관에서 소개해 준 상공회의소 부회장이란 사람과 약속을 하고 갔는데 미국에 도착하여 전화를 하니까 한국에서의 약속과는 전혀 다른 비용과 조건을 요구하는 것이었습니다.

남편은 한참동안 실랑이를 벌이다가 전화를 끊고 차를 몰고 가다가 답답한 마음에 차를 세우고 서 있는데 바로 앞에 한인교회 표지판이 보였습니다. 그 순간 교회로 전화할 지혜를 주시고 그 교회 목사님의 도움으로 마침 그날 직장을 쉬고 있는 멋진 자매를 통역으로 붙여 주셔서 생각보다 더 좋은 분위기에서 미팅을 잘 끝내고 좋은 조건을 받아 가지고 돌아오게 되었습니다.

하나님께서 하시는 일은 우리가 생각지 못한 방법으로 이루신다는 것을 알게 되었습니다.

지나온 모든 시간들이 광야 길을 가는 이스라엘 백성을 생각나게 하는 시간들이었습니다. 한 고비가 넘어가면 또 한 고비가 다가오는 파도타기가 끊임없이 계속되지만 정말 이상할 정도로 두려움, 염려, 걱정이 되지 않게 되었다는 것입니다. '이런 담력과 믿음을 키우기 위해 하나님은 그 많은 시간을 기도 훈련하면서 보내게 하신 것이었구나' 하고 깨닫게 되었습니다.

〈성령사역연수원〉에서 받게 된 기도 훈련을 통해 저는 큰 담력, 배짱, 확신, 자신감을 갖게 되었습니다. 김재선 목사님께서 가르쳐 주신 능력기도는 믿음의 확신과 배짱, 자신감을 갖게 하는데 가장 탁월한 기도 방법임을 자부합니다. 저는 더 이상 문제가 와도 염려, 걱정을 하지 않게 되었습니다. 기도하면 되니까요.

남편의 사업체를 통해 더욱 하나님께 크게 영광 돌리게 될 날을 바라보면서 하나님이 제 기도에 응답해 주시리라는 더욱 확고한 믿음을 갖고 반드시 더 놀라운 간증으로 하나님께 영광을 돌릴 수 있는 그날이 오게 하실 줄 믿습니다.

놀라운 기도의 능력

박 원 숙 집사
(3기 여의도순복음교회)

🌸 저는 〈성령사역연수원〉의 「특수부대식 기도훈련 전문반」 3기에 등록하여 6기까지 기도 훈련을 하고 있습니다. 저는 이곳에서 기도에 대해 처음부터 체계적으로 이론과 실기를 겸하여 훈련받으며 제가 체험했던 점을 작은 것이지만 함께 은혜를 나누고자 합니다.

저는 지인의 소개로 〈성령사역연수원〉을 알게 되었습니다. 그당시 저는 수술했던 갑상선 암이 재발되어 목 부위를 제대로 움직이지 못해 스카프 같은 것으로 목을 둘러 감싸서 부어 오른 환부를 감추고 다녀야만 했습니다. 절박함으로 기도하고 있던 중에 저는 김재선 목사님께서 지리산에서 기도하여 영적 세계를 열게 되는 놀라운 체험을 하신 일에 대해 적혀진 글을 보고 〈성령사역연수원〉을 찾게 되었습니다.

「기도훈련 전문반」에 3기로 등록하여 기도 훈련 받은 지 한달이 채 되기 전 어느 기도 시간이었습니다. 김재선 목사님께서 인도해 주시는 대로 따라가며 기도하고 있는데 갑자기 환상으로 밀가루 같이 하얗게 깔린 곳이 보였습니다. 계란 노른자와 비슷한 것이 밀가루 같이 하얗게 깔린 곳으로 떨어지면서 그 안으로 쏘옥 들어가는 것이었습니다. 이것을 본 순간 저는 '내 암이 나았구나!'라는 확신을 갖게 되었습니다. 그 이후 계속 목요일마다 기도 훈련을 하는데 어느 날 유미경 사모님이 찬양을 인도하시는 대로 따라 부르고 있었는데 갑자기 성령님이 강하게 나를 감싸 안는 느낌이 들었습니다. 그 시간 기쁨이 넘치고 평안이 찾아오면서 나의 병이 낫게 되었음을 다시 한 번 강력하게 확신하게 되었습니다.

저는 1990년도에 암 수술 받은 후로 죽을 때까지 계속 약을 복용해야만 하는 환자였습니다. 그 이후 암이 재발되었지만 하나님께서 치유해 주신 때부터는 약을 일절 먹지 않았습니다. 약은 물론 치료도 받지 않으면서 지금까지 건강에 아무 이상없이 지내고 있습니다. 저는 지금도 그 시간에 불렀던 찬양의 감격을 잊지 못해 그 찬양을 계속 부르고 다니며 저를 낫게 해 주신 하나님의 은혜를 되새기며 감사함으로 살아가고 있습니다.

또 제가 오른쪽 중이염을 심하게 앓아 누군가의 소리를 들으려면 잘 안 들려서 저도 모르게 왼쪽 귀를 갖다 대곤 했었던 적이 있습니다. 그런데 어느 날 「기도훈련 전문반」에서 기도하던 중 "네 중이염은 치료받았다"는 음성을 듣게 되었습니다. 그때 하나님께서 제 오른쪽 귀를 치료해 주신 것이었습니다. 그 이후로는 오른쪽 귀로도 소리를 잘 듣게 되었습니다.

이것 뿐만이 아닙니다. 무려 15여년 동안이나 신앙생활을 쉬고 있던 아들의 신앙회복을 위해서 안타까운 마음으로 기도하고 있었는데, 이 아들이 결혼한 후에 다시 교회를 다니게 된 것입니다. 그것도 불신자였던 며느리와 함께 말입니다. 기도의 응답이 이루어진 순간이었습니다.

또 한 번은 이런 일도 있었습니다. 어느 날 「기도훈련 전문반」에서 기도하던 중, 터널 같은 곳을 지나니 밝은 빛이 비춰면서 사다리가 보이는 곳에서 기도를 마치게 되었는데 그 다음 주에 「기도훈련 전문반」에서 다시 기도를 할 때 지난주에 사다리가 보이는 곳부터 기도가 시작되는 것이었습니다. 김재선 목사님께서 가르쳐 주신 기도는 다른 기도와 달리 기도하다가 멈추었을 때 그 상태에서 영을 머물러 둘 수 있는 기도라고 하셨는데 저는 이때 김재선 목사님께서 말씀하신 대로 영을 머무르는 기도를 하고 있음을 깨달을 수 있었습니다.

기도가 지난주에 이어 시작되면서 위로 길이 있는 것 같아서 따라 가고 있는데 무엇인가 비집고 나가야 한다는 생각이 들면서 갑자기 단 단어(짧은 외마디) 방언이 터져 나오기 시작하였습니다. 애벌레가 허물을 비집고 나가듯이 제가 무엇인가 비집고 힘겹게 나가더니 나간 후에는 기쁨의 감격이 넘쳐 나도 모르게 큰 목소리로 방언이 터져 나오는 것이었습니다. 그날은 주위 사람들을 신경 쓸 사이도 없이 내 자신을 통제할 수도 없는 큰 소리로 방언이 나왔습니다.

제가 능력기도를 배우고 나서 크게 달라진 점은 영적으로 눌리는 것을 더 이상 느끼지 않게 되었다는 것입니다. 저는 예수님을 안 믿는 집안에 시집와서 집안에서는 제가 처음으로 예수님을 영접한 사람입니다. 그래서 악한 영을 가진 사람을 만날 때면 그 악한 영 때문에 영적으로 무엇인가 눌리는 것을 많이 느꼈습니다. 이런 때면 집에 와서 밥도 못 먹고 누워 지내곤 했었습니다. 그래서 자식들이 저를 병원에 데려가 MRI까지 찍어 보게 했을 정도로 아팠던 적이 있었지만 병명은 나오지 않았습니다.

이렇게 지냈던 제가 〈성령사역연수원〉을 알게 되어 능력기도를 한 뒤로는 제 영권이 강해지면서 영적으로 눌리는 느낌이 완전히 없어지게 되었습니다. 이렇게 눌리는 것만 없어도 얼마나 감사한 일인지 하늘을 훨훨 날아다니는 기분입니다.

저는 평소에 영적인 것을 사모하며 갈급해 하던 중 원장이신 김재선 목사님을 만나게 되어 영적인 갈증이 완전히 해갈되었습니다.

연수원에서 김재선 목사님의 기도 인도를 받으며 저 같은 평신도도 이러한 놀라운 경험을 하는데 목사님, 사모님, 전도사님들께서는 더욱 놀라운 체험을 하실 것이라 생각합니다.

저는 연수원에 오기 전에 영적 갈급함 때문에 다른 기도 세미나에 가본 적이 있었습니다. 그곳에서는 인도하시는 목사님께서 앞서 기도하시면 저희가 같이 따라 하며 기도하는 정도에 그쳐 답답함이 여전히 남아 있었는데, 〈성령사역연수원〉에서는 원장 김재선 목사님께서 기도를 직접 인도하시면서 지금 어떤 영적 단계가 열리고 있는지 그때마다 이렇게 혹은 저렇게 하라며 알려주시니 기도의 길이 보이고 어찌해야 할지 모를 때 방법을 인도해 주시는 기도 훈련 과정이 너무나 좋습니다. 그래서 2년이 다 되어 가는 지금까지도 「특수부대식 기도훈련 전문반」에 계속 참석하고 있음은 물론, 연수원의 20여 가지나 되는 모든 세미나를 여러 차례 반복해서 참석하며 훈련받고 있습니다.

연수원이 이곳으로 옮겨오기 전 구의동에 있었을 때 「희한한 능력 세미나」에 참석한 적이 있습니다. 모든 세미나에는 실기 시간이 있는데 실기 때의 일이었습니다. 두 사람씩 짝을 지어 서로의 다리 사이에 다리를 끼게 하고서는 목사님께서 "다리는 정상으로 돌아갈지어다"라고 명령하시며 능력을 부어 주시니 제 휘어진 왼쪽 다리에서 '뚜뚜둑 뚜뚜둑' 하는 소리가 나더니 움직여지고 맞춰져 들어가는 것을 보게 되었습니다. 눈앞에서 너무나 놀라운 일이 벌어졌습니다.

연수원이 이곳 중곡동으로 이전한 후에 또 참석했던 「희한한 능력 세미나」 실기 시간에 두 사람씩 짝을 짓고 서로 아픈 곳을 물어본 후에 손을 아픈 곳에 가져다 대고 명령하는 시간이 있었습니다. 김재선 목사님으로부터 능력 부음을 받고 제 짝이었던 분이 허리가 아프시다고 해서 제 손을 그분의 허리에 대고 기도를 하니 제 손에서 능력이 나와 들어가는 것이었습니다. 너무나 신기하고 놀라운 일이었습니다. 평신도인 제가 남에게 손을 대고 기도하는 것도 두려운 일이었는데 무엇인가 손에서 나가며 쑤욱 들어가는 느낌이 당황스럽기도 했지만 너무나 신비한 일이었습니다. 하나님께서 나 같은 사람에게도 능력을 부어 주시고 그 능력을 사용할 수 있는 경험을 하게 하셨습니다.

또한 저는 평소 변비가 너무나 심해서 관장약을 항상 가지고 다녀야만 했었습니다. 변비에 좋다는 여러 음식을 섭취해 보았지만 소용이 없었습니다. 저는 화장실을 가야 할 때면 너무나 힘들었었습니다. 몇 시간이고 화장실에 앉아 있어야 했고 힘도 너무나 많이 써야 했기에 온 몸이 땀에 젖어 나올 때가 한두 번이 아니었습니다. 어떤 때는 응급실에 실려 갈 정도로 심한 때도 있었습니다. 이때는 관장약을 몇 알씩 넣어도 소용이 없었습니다. 이 고통은 아마 실제로 경험해 보지 않는 분은 모르실 것입니다.

그런데 제가 「금식기도 및 건강회복 세미나」를 들으면서 주스 금식을 한 후에는 더 이상 관장약을 쓰지 않아도 될 정도로 건강이 회복된 것을 느낄 수가 있었습니다. 화장실에 가는 것도 자유롭게 되었습니다. 저는 〈성령사역연수원〉에 와서 영과 육이 모두 건강해진 것을 체험하게 되었습니다.

재발된 암이 나았고 심하던 변비도 나았고 하나님에 대한 믿음을 더욱 강하게 갖게 되었고 신앙이 성장하게 되는 유익을 얻었습니다. 제 어려운 삶을 축복으로 바꾸어 주신 하나님께 진정 감사드립니다.

처음에 저는 평신도로서 이런 간증을 쓴다는 것 자체가 너무나 떨렸습니다. 이곳 연수원에 오신 많은 분들이 「기도훈련 전문반」에서 기도하시면서 저보다도 더 놀라운 체험을 많이 하실 것이라 생각했기 때문입니다. 그렇지만 이러한 작은 일도 하나님께 영광 돌리고 싶었고 이 글을 대하는 이들에게 제 경험이 하나님에 대한 믿음과 소망을 갖게 된다면 조금이나마 하나님 나라에 도움이 될 수 있을 것이라는 마음이 들어 제 체험을 솔직히 쓰겠다고 생각을 바꾸게 되었습니다. 부디 지금 말씀 드린 것을 저의 자랑과 교만으로 보지 말아 주셨으면 하는 마음입니다.

저는 하나님의 인도로 연수원에 와서 뛰어난 기도 인도자이시며 영적 세계를 이론적으로 잘 정리해 주시는 김재선 목사님을 만나 기도를 체계적으로 배우며 훈련받게 되었음을 감사드리며 하나님께서 필요한 저의 문제를 그때 그때 응답해 주시고 해결해 주시는 체험을 할 수 있게 해 주셔서 너무 감사를 드립니다.

하나님께서 〈성령사역연수원〉을 알게 하시고 김재선 목사님과 사모님을 만나게 하셔서 큰 은혜를 공급받아 새 힘을 얻어 영육 간에 강건하게 살아가도록 인도하신 하나님께 이 모든 영광을 돌립니다.

기도는 바로 능력이다

최 상 호 목사
(5기 성령사랑교회/서울)

2009년 8월 국민일보 광고를 통하여 〈성령사역연수원〉에서 하고 있는 「특수부대식 기도특공훈련 무료세미나」를 보게 되었습니다. 신문 광고를 보는 순간 저의 마음에 꼭 가서 배워야 하겠다는 큰 감동이 왔고 기대하고 사모하는 마음으로 세미나에 참석하게 되었습니다.

저는 이 집회에 참석하여 한마디로 엄청난 충격을 받았습니다. 그 첫째 원인은 김재선 목사님의 '놀라운 영성'이었습니다. 저는 마치 그의 영성 앞에 작은 아이와도 같았습니다. 둘째는 목사님께서 깨달은 영의 세계에 대한 대단한 지식이었으며, 셋째는 목사님이 엄청난 기도의 세계를 친히 생활 현장에서 누리고 있다는 것이었습니다. 그리하여 저는 좋은 기도의 스승을 만난 기회를 놓칠 새라 「특수부대식 기도훈련 전문반」 5기에 등록하여 훈련을 받게 되었습니다.

사실 저는 기도에 대한 지식이 단순했습니다. 그저 간구기도, 방언기도, 그리고 열심히, 간절히 믿고 기도만 하면 되는 줄로만 알았습니다. 그런데 「특수부대식 기도훈련 전문반」에서 훈련을 받게 되면서 말할 수 없는 기도의 세계가 있는 것을 깨닫게 되었습니다. 그 첫째는 기도의 다양한 종류인데 간구기도, 방언기도, 원수와 싸우는 능력기도, 문제들을 해결하는 기도가 있다는 것을 알게 되었습니다. 둘째는 기도의 다양한 방법으로서 목을 이용해서 기도하는 수준에서 가슴을 이용하여 기도하는 수준, 배를 이용하여 기도하는 수준, 그리고 허리를 이용하여 기도하는 수준이 있다는 것을 알게 되었습니다.

바로 이 허리기도가 엄청난 영권을 키워 내고 또한 능력 있는 파워 기도인 것을 알게 되었습니다. 그리고 기도의 기술로서는 치고 들어가는 기도가 있고, 치고 나아가는 기도가 있으며, 치고 올라가는 기도가 있는 것을 알게 되었습니다. 또한 리듬을 타는 방법, 기도의 줄을 잡는 방법, 정신을 집중하는 방법 즉 몰입의 기도 방법이 있는 것을 알게 되었습니다. 그리하여 저는 저 나름대로 열심히 기도 훈련을 김재선 목사님께서 지도해 주시는 대로 따라 가려고 노력했습니다.

그런데 처음에는 허리에 힘을 주는 능력기도가 너무너무 힘이 들었는데 차츰 시간이 가면서 몸이 적응하기 시작했고 목사님의 인도를 따라 열심히 기도를 했습니다. 문제는 나의 기도가 능력이 있는지 없는지 알 수 없다는 것이었습니다.

그런데 하루는 「기도훈련 전문반」 5기 과정을 수료하기 전이었습니다. 우리 교회의 성도 한 분이 외국인으로서 처음 한국에 입국했을 때의 이름과 두 번째 한국에 입국한 이름이 다르다는 사실로 인해 한국 출입국 관리소에 구속되는 어려운 일을 당했습니다. 한국 정부에서는 그에게 이름을 고치고 입국했다는 이유로 더 이상 한국에 체류할 수 없는 강제 추방령을 내렸던 것입니다. 사실 외국인으로서는 억울한 일이 아닐 수 없었습니다. 왜냐하면 자기네 나라에서는 정상적으로 이름을 고친 것인데도 한국 정부에서는 이것이 불법이라 하여 추방한다니 너무나 어이가 없는 일이었습니다. 이는 두 나라 간의 서로 다른 법률의 차이 때문에 일어난 문제입니다. 구속된 외국인은 자기 나라에서 합법적으로 이름을 고친 증명서와 대사관을 통해 불법적 행위가 아니라는 것을 입증하는 증빙 서류를 한국 출입국 관리소에 제출했으나 받아들이지 않았습니다. 그 이유는 당신의 나라에서는 위법이 아니지만 한국 정부에서는 위법이 되기 때문에 무조건 추방되어야만 한다는 것이었습니다. 마지막에는 법무부 차관까지 찾았지만 모두가 허사였습니다.

그래서 우리는 이 일을 주님께 맡기고 합심하여 능력기도 하면서 '치는 기도'를 하기 시작했습니다. 우리는 직접 그 일을 담당한 박 계장이란 사람과 김 소장이란 사람을 칠판에 적어 놓고 능력기도를 하였습니다. 그런데 이것이 웬일입니까? 우리가 치는 기도를 하는 중 그들의 몸에서 악한 영들이 떠나가는 것을 환상으로 보게 되었습니다. 우리는 더욱 힘써 끊임없이 악한 영을 치는 기도를 하였습니다. 그런데 약 한 달 만에 능력기도를 통해 불가능을 가능케 하는 기적을 경험하게 되었습니다. '일을 행하시는 여호와, 그 일을 지어 성취하시는 여호와 하나님'은

친히 저로 하여금 능력기도의 위력을 알게 하셨습니다.

우리가 능력기도를 계속하자 박 계장과 김 소장의 마음속에서 역사하는 악한 영들이 떠나가게 되고 그렇게도 강력하게 대하며 죽어도 추방 시키고자 했던 사람들의 마음이 녹아지기 시작했습니다. 그때에 하나님께서는 귀한 사람을 보내 주셨습니다. 그분을 통해 결국 추방되지 않고 무죄로 석방하게 되었습니다. 모든 영광을 하나님께 돌립니다.

이 일을 통해 허리로 하는 능력기도가 정말로 능력이 있다는 사실을 깨닫게 되었습니다. 그리고 저도 모르는 순간에 이미 능력기도를 어느 정도 하고 있었다는 것을 알게 되었습니다. 그 후 문제만 있으면 자신감을 가지고 능력기도를 하게 되었는데 신비하게도 모두 2~3일 내에 즉각적으로 응답을 받게 되었습니다. 예를 들면, 목회를 하면서 마음의 문을 닫고 연락도 중단한 채 저를 몹시 괴롭게 하는 성도가 있어 능력기도를 하니 그분이 마음을 열고 전화를 하였던 것입니다. 이는 간구기도나 방언기도를 통해서는 경험해 보지 못했던 일이었습니다.

능력기도는 시공간을 초월하여 역사하심을 볼 수 있습니다. 아무리 멀리 떨어져 있어도 관계가 없었습니다. 기도대상자의 이름을 부르며 그 속에서 역사하는 마귀를 향해 치는 기도를 할 때 즉각 역사가 일어났습니다. 우리교회에는 장사하시고 기업하시는 성도들이 있습니다. 그들은 현장에서 많은 일들을 만나는데 그럴 때마다 저에게 기도 요청을 해 옵니다. 그러면 저는 그분들의 이름을 놓고 능력기도를 하면 신기하게도 짧은 시간 내에 해결 받게 됩니다. 그러므로 저희 교회 성도들과 저는 능력기도의 위력이 얼마나 대단한 것인지 분명히 알게 되었습니다. 능력기도는 말 그대로 우리들의 생활 현장에 역사하는 원수 마귀를 때려잡는 최고의 무기입니다.

저는 이 간증문을 쓰면서 소원하는 것이 있다면 보다 더 많은 사람들이 〈성령사역연수원〉에 오셔서 이 능력기도 훈련을 받았으면 하는 것입니다. 그리하여 삶의 현장에서 날마다 능력기도를 사용함으로 주님께서 하시는 일을 증거하며 하나님께 영광 돌렸으면 하는 바램입니다.
모든 영광을 성삼위 하나님께 돌려 드립니다!

기도하는 멋쟁이 할머니 목사

김 일 곤 목사
(1기 축복기도원/서울)

저는 올해 79세로서 남들이 부르는 칭호로는 '할머니 목사'입니다.

「특수부대식 기도훈련 전문반」 1기에 등록하여 6기에 이르기까지 3년여 동안 한 번도 결석한 적 없이 〈성령사역연수원〉에서 열심히 기도 훈련을 받아오고 있습니다. 무엇보다도 지금까지 하나님께서 제게 건강을 주셔서 젊은 사람들도 힘들어 하는 4시간의 능력기도를 매주 끝까지 완주해 내고 있는 저 자신을 보면 대견스러울 정도입니다. 이 은혜만으로도 저는 하나님께 진정 깊은 감사를 드리지 않을 수 없습니다.

신앙생활 한다는 사람은 누구나 기도를 빼놓을 수 없을 것입니다. 저 역시 목회자로서 나름대로 기도를 한다고 해 왔지만 어떻게 하면 능력 있는 기도를 할 수 있을까 하고 궁금해 하며 〈성령사역연수원〉의 「기도훈련 전문반」 1기에 등록을 하게 되었습니다.

전문반을 시작하는 첫날, 멀쩡하던 배가 갑자기 배탈이 나서 밤새껏 설사하며 토하다 보니 힘이 빠지고 어지러워서 도저히 갈 수가 없었습니다. '첫날부터 결석을 하게 되나 보다'하고 생각하게 되었습니다. 연수원으로 전화를 걸었더니 사모님이 전화를 받으시며 병원에 가서 치료를 받고 늦게라도 이기고 나오라고 하였습니다. 그때 전 '이것이 보통 일이 아니구나. 강한 흑암의 세력의 장난이다'라는 생각이 들었습니다. 연수원에 나가 기도하려고 하니까 악한 영의 세력들이 방해하려 한다는 것을 느낄 수가 있었습니다. 그래서 조심스럽게 일어나서 병원 치료를 받고 조금 늦었지만 참석할 수 있었습니다.

「기도훈련 전문반」은 매주 목요일 날 하루 종일합니다. 오전에는 기도의 영의 세계에 관련된 말씀을 듣는 시간이고 오후에는 쉬지 않고 계속하여 4시간 이상 기도합니다. 훈련이 시작되어서 기도를 시작하고 보니 제 기도가 너무 산만했던 것을 깨닫게 되었습니다. 일상의 생활 속에서 바쁘게 쫓기며 생활하다 보니 기도를 하는데 집중하지 못하는 내 모습을 볼 수 있었습니다. 불을 다 끄고 칠흑 같은 어두움 속에서 기도를 하게 되는데 집중이 잘 되지 않아서 눈을 떴다, 감았다 하면서 앞사람, 옆 사람, 다른 사람들의 기도하는 희미한 모습을 두리번거리며 보곤하였습니다.
앞에서 김재선 목사님께서 직접 마이크를 잡고 기도를 인도하시면서 "집중하세요!", "몰입하세요!"하고 인도하시며 외치는 음성은 짧은 말이었지만 능력의 음성으로 제 귀에 들려 왔습니다. 그 외침의 소리에 깜짝 놀라서 정신이 바짝 차려지곤 했습니다.

3시간 반에서 4시간 이상 처음부터 끝까지 눈을 감은 상태에서 기도한다는 것은 저에게는 어려운 일이었습니다. 흑암의 세력의 방해도 있었고 계속 무릎을 꿇고 그렇게 장시간 기도하기가 매우 힘이 들었습니다. 그러나 「기도훈련 전문반」 6기 과정을 마치게 되는 지금은 시작부터 끝까지 눈 뜨지 않고 감고 기도할 정도로 집중력이 생겼습니다.

1기 때에는 집중력을 훈련할 수 있었고 2기 때부터는 환상이 보이기 시작했습니다. 처음에는 깨끗지 못한 환상들이 많았는데 점차 기수를 더해 갈수록 영권이 쌓여 가는 것을 느끼게 되고 어두운 영의 세력들이 제거되는 것을 볼 수 있었습니다. 그리고 보이는 환상의 상징들이 처음에는 좋지 않은 것들도 있었는데 3기 이후부터 좋은 것들만 나타나게 되었습니다. 굴속을 통과한다거나 푸른 초장, 잔잔한 바다, 태양 등이 보이게 되었습니다. 기도 훈련을 하고 있는 동안 하나님이 함께 하시어 장시간 기도를 끝까지 감당해 낼 수 있도록 도와주고 계시며 저의 영적 육적인 연약한 부분들을 강하게 회복해 주심으로 기도의 영의 세계를 향하여 계속 도전하는 힘을 얻고 있습니다.

김재선 목사님께서 인도해 주시는 능력기도를 저 같은 '할머니 목사'도 몇 년째 이렇게 따라서 하다 보니 기도에 대한 자신감, 응답에 대한 확신, 영권이 쌓여 가는 것을 확실히 느끼게 되었습니다. 그러니 좀 더 젊은 분들은 얼마나 힘 있게 이 기도의 세계를 열어 갈 수 있겠습니까?

이제는 연수원에 와서 기도 훈련에 참석하는 것이 제 인생의 한 부분이 되어 버렸습니다. 저를 만나길 원하는 사람들도 아예 기도 훈련이 있는 목요일은 미리 알고 약속을 안 할 정도로 기도에 전념하는 인생이 되었습니다.

앞으로도 건강이 허락되는 그 날까지, 무릎 꿇어 기도할 수 있는 힘을 허락하시는 그날까지 주님 바라보며 달려가고자 하는 마음은 오늘도 변함이 없습니다.

비록 늦은 감이 있는 나이지만, 이제라도 이렇게 기도의 영의 세계가 있음을 알게 해 주시고 그 세계를 향하여 계속해서 이끌어 주시는 김재선 목사님의 노고에 머리 숙여 감사의 마음을 전합니다.

주님도 '기도 외에 이런 능력이 나갈 수 없다'고 하셨지요.

우리에게 기도할 기회가 항상 주어지는 것은 아닙니다. 지금 기도의 힘을 잃고 있거나 기도가 잘 안 되는 분들은 〈성령사역연수원〉에서 기도의 영의 세계를 열어 가는 능력기도를 같이 해 보시지 않으시렵니까?

지난 4개월 동안에 일어난 일들

권 순 길 전도사
(6기 임마누엘선교교회/서울)

 먼저 이렇게 간증할 수 있는 기회를 주신 하나님께 감사 드립니다.

개척교회를 시작할 때 저는 가족이나 부모 형제 누구에게도 의존하지 않고 오직 성령님을 의지하기로 했습니다. 제가 잘나서 하는 것도 아니고, 잘해서 하는 것도 아니고, 오직 영혼을 사랑하는 마음만 갖고 시작하게 되었습니다.

큰 딸이 월세와 피아노 반주를, 작은 딸이 바이올린을 맡기로 하고 개척을 결심한 지 10개월 만에 어렵사리 교회를 시작하게 되었습니다.

처음 등록하게 된 성도 가정에 심각한 영적 문제가 있어 40대 초반의 아들이 의식 불명 상태로 25일 정도 있다가 사망하게 되었습니다. 그 가정을 위해 온갖 정성과 사랑을 쏟은 저의 노력에도 불구하고 그 가정의 할아버지, 할머니, 4살 손자는 주변의 큰 교회로 옮겨 가 버렸으며 저는 미련 없이 보낸 후 다시 시작하는 마음으로 가족들과 함께 예배를 드리게 되었습니다.

교회를 이사할 때 비용이 없어서 손으로 일일이 이삿짐을 한 트

럭분 나를 정도로 재정이 열악하였으나 하나님의 은혜로 월세는 꼬박꼬박 제 날짜에 보낼 수 있었습니다.

그때 마침 〈성령사역연수원〉에서 실시하는 「특수부대식 기도 특공훈련 무료세미나」 소식을 접하게 되었습니다. 신앙생활을 시작하면 누구나 겪게 되는 어려움 중의 하나가 기도를 해야 하겠는데 어떻게 해야 할지도 모르고 물어 보아도 속 시원히 가르쳐 주는 사람도 없다는 것입니다. 저 나름대로도 스스로 부딪쳐 가면서 이 방법 저 방법 시도해 보았지만 신통치 않았습니다. 정말이지 성경속의 인물들은 어떻게 기도를 했기에 그런 능력이 있었는가? 그것은 마치 현실과는 너무도 먼 이야기였습니다.

그러던 중 〈성령사역연수원〉의 무료세미나에 참가하고 도전을 받게 되었으며 바로 이어 시작되는 「특수부대식 기도훈련 전문반」 6기에 등록하여 기도를 제대로 배워보고자 결심하게 되었습니다.

처음에는 생소하기도 하고 신기하기도 하고 나도 하면 될 것 같아 시작은 했지만 막상 해보니 만만치가 않았습니다. 그래서 처음에는 갈등도 많았습니다. 기도를 시작하자 사단은 가까운 사람들을 통해 계속 강하게 역사하는 바람에 하마터면 기도 훈련을 포기할 뻔했습니다. 그러나 4개월의 한 기수 과정이 지나면 내 안에 잠복해 있던 영적인 것들이 대청소되면서 몸도, 환경도 변화가 온다고 하신 김재선 목사님의 말씀에 힘입어 인내하면서 성실하게 훈련에 임했습니다.

첫 주부터 소망을 갖고 열심히 하다 보니 내 평생에 맛보지 못한 몸살을 심하게 앓게 되었고 목은 완전히 쉬어 버려서 소리가 나오지 않을 정도가 되었습니다. 기도 실기 내용은 영적 세계를 뚫는 기도이기 때문에 인도하시는 목사님의 능력기도 인도에 따라서 리듬을 타고, 기도 줄을 타고 따라서 하기만 하면 능력기도를 할 수 있게 됩니다. 그때 힘들다고 포기하거나 쉬지 말고 사력을 다해 기도의 리듬을 따라가야 합니다. 영적인 깊은 경지에 들어가려면 인간의 한계를 뛰어넘고 허리가 끊어지는 통증의 한계를 벗어나야 한다고 하였습니다.

능력기도 훈련을 받으면 영적 담대함이 강하게 옵니다. 자신감이 생기고 배짱이 생기고 담력이 생겨서 문제를 겁내지 않게 되고 정면 돌파하겠다는 각오가 생기기 때문에 두려움이 생기지 않게 됩니다.

능력기도에는 우선 허리에 힘을 주어 짧고 강하고 예리하게 영적인 세력을 '치고 들어가는 기도'와 허리의 힘을 약간만 주고 리듬을 타고 약간 빠른 박자로 '치고 나가는 기도'가 있습니다. 이 감각 훈련을 거치면 기도를 잘하게 되고 영적 세계를 잘 알게 된다고 하였습니다. 반드시 허리에서 힘이 나오도록 처음에는 소리에 신경을 써가며 영적 감각을 익히도록 해야 합니다. '치고 올라가는 기도'가 있는데 정신을 집중해서 기도하면 깊은 세계로 들어가는 기도로 금방 황홀경에 이르는 기도입니다.

이 능력기도가 체질화되도록 훈련하는 것이 중요합니다. 문제의 사안에 따라 기도 종류를 선택해 사용하면 기도가 더 다양해지고 영력이 조절됩니다. 영적 상황에 따라 순간순간 능수능란하게 바꾸어 가면서 기도하면 2박3일 혹은 5박6일도 기도가 가능하다고 하였습니다.

기도 훈련을 시작할 때는 물질도 없었는데 생각지도 않던 사람이 이왕 사역하려면 확실하게 훈련을 잘 받으라며 300만원을 보내주어 하나님의 은혜로 다른 세미나 과목까지 더 참석하게 되었습니다. 놀랍게도 이 기도 훈련 기간에 여러 환경에 변화가 생기기 시작했습니다. 교회 옆 건물에 있던 무당은 이사를 가는 좋은 일도 있었지만 성령님만 의지하기로 결단하고 아무 것도 없이 시작한 교회의 월세 문제가 생겼습니다.

교회를 시작하고 어려운 가운데서도 교회 월세를 밀리지 않고 꼬박꼬박 제 날짜에 보냈는데 그 달은 돈이 없어 못 내고 있었으며 하나님께 맡기고 기도만 할 뿐이었습니다. 그런데 하나님께서 후원 교회에서 간증할 수 있는 기회를 주셨습니다. 감사하세노 간증하게 된 그 교회에서 받은 사례비를 통해 한 달 월세를 낼 수 있었습니다.

또 감사한 것은 후원 교회에서 개척 교회를 한다고 못 먹어 영양실조 걸릴까 봐 며칠 먹을 갈비를 택배로 보내 주셨고 다음에도 보내 주신다는 연락도 받았습니다. 그리고 며칠 후 그 교회에서 매달 50만원의 교회 월세를 책임져 주시기로 결정했다는 전화를 받았습니다. 할렐루야!

부족한 내 모습 그대로 순종했을 뿐인데 '우리 가운데 역사하시는 자의 능력대로 우리의 온갖 구하는 것이나 생각하는 것에 더욱 넘치게 능히 하실 이에게'(엡3:20) 라는 말씀대로 하나님께서 역사하시며 응답하심을 경험하게 되었습니다.

또 일본에 교회를 개척할 수 있게 도와 주시겠다고 약속해 주었습니다. 저희 딸이 일본에 유학을 나가 있기도 하고 제가 일본어에 능통한 것을 아시고 일본 학원 선교에 비전을 품고 뛰어보라는 하나님의 사인(sign)으로 받아들이며 기도로 준비하고 있습니다. 이렇게 세밀하게 도우시는 하나님께 모든 영광과 감사와 찬양을 올립니다.

그 외에도 건물 주인이 못 달게 하던 교회 간판을 달게 되었고, 작은 딸은 일본 대학에 장학생으로 가게 되면서 유학 준비금으로 80만원도 받게 되었고 또 생각지도 못했는데 1년 전부터 저를 위해 기도해 왔다면서 미국 교회에서 작은 딸 장학금으로 100만원을 갖고 오셨습니다. 돈의 액수가 문제가 아니라 우리의 형편을 너무나 잘 아시는 하나님께서 그분의 뜻대로 순종할 때 우리의 모든 것을 책임져 주시는 분이심을 체험케 해 주셨습니다.

나는 부족하고 힘이 없고 연약해도, 환경은 어렵고 힘들어도, 기도하려고 하는 사모하는 마음만 있으면 성령님은 앞서 행하시며 인도해 주시고 물질도 채워 주시고 훈련도 받을 수 있도록 해 주신다는 것을 실감나게 보여 주셨습니다.

이 모든 응답이 「기도훈련 전문반」에 등록하여 기도 훈련을 받던 지난 4개월 동안에 일어난 일들입니다. 이 모든 것이 하나님의 은혜요, 또한 능력기도를 통해 영권을 쌓아갈 때 이루어졌음을 고백합니다.

기도 제목이 너무 많아서 창피할 정도였는데 그 기도 제목들을 통해 능력기도 훈련에 참가해서 이렇게 하나님께 영광을 돌리게 될 줄을 누가 생각이나 하였겠습니까? 또 귀한 만남의 복을 주셨고, 제가 섬기는 하나님이 어떤 분이신지를 확실하게 경험하게 해 주셨으며 이 모든 과정을 지켜본 저희 딸들의 믿음은 이전보다 더욱 확고해졌습니다.

처음 「기도훈련 전문반」을 시작할 때는 언제 이 과정이 끝나게 될까 아득하였는데 하나님의 도우심으로 인내하면서 따라왔더니 어느덧 영광스런 수료를 하게 되었습니다. 또한 이렇게 간증할 수 있게 되어 너무 기쁘고 감사하고 행복합니다.

「기도훈련 전문반」을 통해 능력기도를 하다보면 영적 전쟁에서 승리할 뿐더러 환경과 삶에 변화가 있게 됨을 확신합니다.

악한 영들과 싸워 날마다 승리를 거두어 하나님께 영광을 돌리기를 원하는 사역자라면 누구나 와서 받아야 할 기도 훈련 과정이라 생각됩니다. 그동안 이끌어 주시며 지도해 주신 원장 김재선 목사님께도 감사드립니다.

우울증의 고통에서 능력있는 삶으로!

박 금 서 목사
(1기 갈보리교회/청주)

🌸 제가 〈성령사역연수원〉을 통하여 갖가지 놀라운 은혜
를 체험하고 능력있는 사역자로 세워져 가게 된 세월을
돌이켜보니 어느덧 2년 7개월이 흘렀습니다.

연수원과의 관계가 참으로 절박한 상황 속에서 이루어진 것이
라 결코 잊을 수 없는 기억으로 남아 있습니다. 약 3년 전 쯤 저
는 우울증으로 인해 힘겨운 날들을 보내고 있으면서 이런 힘겹
고 어려운 인생에서 희망의 돌파구는 없을까 하는 생각으로 나
의 연약한 부분을 채워 줄 그 무엇인가를 열심히 찾고 있을 때
였습니다.

그런 어느 날, 동생 목사가 〈성령사역연수원〉에서 기도 무료세
미나가 있으니 같이 가 보자고 권유하는 것이었습니다. 동생 목
사는 이미 이전에도 「특수부대식 기도특공훈련 무료세미나」
를 참석한 경험이 있었습니다. 그때 동생은 김재선 목사님과 식
사도 함께 나눌 정도로 친밀한 좋은 관계를 가지면서 세미나에
열심히 다녔습니다. 그러던 가운데 김재선 목사님께서 동생의

건강 상태가 좋지 않은 것을 아시고 기도해 주셔서 아프던 허리를 고침 받았다고 했습니다. 그런데 한동안 연수원의 세미나 광고가 없어서 궁금해 하고 있었는데 어느 날 신문에 세미나 광고가 실렸습니다. 그렇게 하여 2007년 11월 「특수부대식 기도특공훈련 무료세미나」에 참석하게 되면서 연수원에 첫발을 내딛게 되었습니다.

세미나 기간 동안에 목사님의 말씀은 저를 사로잡기에 충분했고 제가 알지 못하고, 보지 못했던 영의 세계에 대해 눈을 뜨게 해 주었습니다. 그리고 그 다음 주에 바로 연결된 「16시간 집중기도훈련」에도 참석하게 되었는데 이 기도 훈련을 통하여 무언가를 확실히 얻고 잡을 수 있을 것 같았습니다.
2박 3일 동안에 16시간을 집중하여 기도하는 훈련이었는데 제 나름대로 기도한다고 하였어도 사실 쉬운 기도 훈련이 아니었습니다. 이런 과정을 통하여 기도에 대한 새로운 영의 세계를 인식하게 되었고 가죽 벨트를 하고 허리에 힘이 실린 능력기도를 하게 될 때 영권이 쌓여지는 것을 느끼게 되었습니다.

저는 그때나 지금이나 지방에 있는데 그때 작은 아들은 중학교 2학년이어서 아직 제 손이 많이 필요한 시기였습니다. 지금은 학교 기숙사에 가 있어서 아들 때문에 시간에 큰 구애를 받지는 않습니다. 남편은 직장 관계상 일주일에 한 번이나 아니면 두 번 정도 집에 왔습니다. 그래서 아이들의 모든 문제는 제가 담당해야 했습니다.

전 고집이 좀 있는 편이어서 한번 마음먹은 것은 그대로 밀고 나가는 스타일인데 그런 저에게 남편은 늘 고집이 세다고 한마디 씩 하곤 했습니다. 연수원에서 행하여지고 있는 각종 프로그램의 세미나가 너무 좋아서 이 세미나들을 전체 다 참석하고 하고자 마음을 먹었으나 한두 번도 아니고 매주 다니는 것은 결코 쉬운 문제가 아니었고 애로 사항이 이만저만이 아니었습니다. 새벽에 아침밥을 식탁에 차려놓고, 아들을 깨우고는 밥 먹고 남은 반찬은 냉장고에, 먹은 그릇은 싱크대에 넣고 학교에 가라 당부하고 저는 새벽차를 타고 서울로 올라오곤 하였습니다.

그리고 세미나가 끝나면 저녁에 다시 지방으로 내려갔다가 올라 오기를 약 7~8개월을 그렇게 하였습니다. 그런 저를 보고 김재선 목사님께서는 대단하다고 하시면서 여장부라고 격려도 해주셨습니다.

제가 앓고 있었던 우울증으로 인하여 나름대로 기도한다고 했는데 왜 계속 우울증으로 시달려야 했는지 처음에는 이해가 안 갔습니다. 「16시간 집중기도훈련」에 참석해서 우울증이 치료가 되었느냐고요? 조금 좋아지는 것 같았지만 다시 재발되곤 하였습니다. 우울증이란 것이 제 견해로는 일반 질병이 아닌 영적인 문제라고 생각합니다. 그 우울증은 하나님께서 저를 다루시는 방법이었던 것 같습니다. 그래서 단번에 치료하지 않으셨습니다.

김재선 목사님께서 항상 하시는 말씀이 '무엇이든 단번에 되는 것은 없다. 시간이 흘러 영권이 쌓여야 가능하다' 하셨는데, 그 말씀에 저도 100% 공감합니다.

그렇게 저를 짓누르던 우울증이 연수원에 와서 계속적인 기도 훈련과 각종 세미나가 복합적으로 연결되어 영권을 쌓아가기 시작하면서부터 제가 기도해서 처리할 수 있게 되었습니다.

은혜가 고갈되어 우울증의 상태가 밀고 들어올 때는 울고 불고 하며 아무리 기도하고 애를 써도 처리는 되지 않고 내 마음을 내가 어떻게 할 수 없었습니다. 때론 죽고 싶은 자살의 유혹도 있었습니다. 그런데 다행히도 기도를 부탁할 수 있는 목사님이 제 가까이에 있었습니다. 제가 애를 쓰다 너무 힘들어 전화로 기도를 부탁드리면 기도해 주시고 몇 분이 지나지 않아 그 우울 하던 마음들이, 절망의 마음들이 거짓말 같이 사라지고 평안이 찾아 왔습니다.

그렇게 우울증으로 고통 받고 있을 때 〈성령사역연수원〉을 알게 되었고 한 줄기의 빛을 바라보는 간절한 심정으로 연수원에 발을 들여 놓았던 것입니다. 아직도 하나님께서는 가끔 제가 나태하고 게을러질 때 우울증을 동원 하시는 것 같습니다. 그러나 지금 저는 전혀 걱정하지 않습니다. 그 증상이 나타나면 저는 하나님 앞에 무릎 꿇고 앉아 저에게 주어진 영권으로 처리할 수 있어 그것쯤이야 아무것도 아닌 것이 되었습니다. 짧은 시간 안에 그 어둠의 영들은 쫓겨 나갑니다.

할렐루야! 주님을 찬양합니다.

약 7~8개월 동안 매주 서울로 올라오다 보니 저는 저의 집 보다는 연수원에 있는 시간들이 훨씬 더 많았습니다. 연수원의 모든 프로그램들을 열심으로 참석하면서 하나님을 더 깊이 알아 가는 행복한 시간들을 보냈습니다.
「꿈해석 전문반」, 「은사 전문반」을 비롯해 단기반 각종 세미나들, 그리고 「성경 파노라마 전문반」, 「특수부대식 기도훈련 전문반」, 「지리산 실전기도훈련」 등의 모든 프로그램을 빠짐없이 집중하여 들었습니다.

목회자들도 마찬가지겠지만 성도들은 특히 은사에 대해 관심이 많은 것 같습니다.
그런데 은사에 대한 교육이나 이론이 정립이 안 되어 있기에 많은 의구심과 혼란을 가져올 때가 종종 있습니다. 때로는 목사님들도 은사는 있지만 은사에 대한 이론이 정확히 정립 안 되어 있어 은사가 있는 성도들을 제대로 이끌어 주지 못하고 눌러 놓는 것을 너무 많이 보았습니다. 이럴 때 성도들은 당연히 답답해하며 갈급해 합니다. 제가 아는 어느 권사님은 목사님이 바뀌면서 교회에서 너무 눌러 놓아 늘 답답한 마음을 어찌하지를 못했습니다. 그러다 가끔 저를 만나면 2~3시간은 족히 마음을 풀어 놓으시곤 하였는데 그렇게 하면 좀 숨통이 트이는 것 같다고 하시며 돌아가곤 하였습니다. 목회자들이 훈련과 교육을 통해 분별의 능력을 가지고 성도들을 키워주고 세워나가면 성도들의 가진 은사를 통해 하나님 나라가 더 많이 확장되고 견고해 갈 것인데 그렇게 은사를 사용하지 못하게 하는 목회의 현장이 안타깝습니다.

그런데 〈성령사역연수원〉에는 그런 모든 프로그램이 다 갖추어 있어서 모든 분야에 부족함 없이 훈련시켜 주는 것이 너무 좋았습니다. 이곳 저곳 헤매고 돌아다니지 않아도 이곳 연수원에만 오면 목회에 대해 알고 싶었던 것, 궁금했던 것들이 한 곳에서 다 해결할 수 있다는 것이 너무 감사할 뿐입니다.

언젠가 어떤 전도사님과 함께 예언 사역하는 곳에 함께 간 적이 있었습니다. 그곳에서 사역하시는 목사님도 여러모로 활동을 많이 하시는 분이라고 하였습니다. 그분 자신의 말로는 국회의 조찬 기도회도 인도한 적이 있다고 했고 한국 교계의 내로라 하는 목사님과도 함께 사역을 했다고 했습니다. 그런데 그 목사님과의 대화 도중 그분에게 은사는 분명히 있는데 은사론이 제대로 정립이 안 된 분이라는 판단이 왔습니다. 〈성령사역연수원〉에서 은사론을 배운 덕에 그런 분별력이 생긴 것이지요. 제가 그곳을 나오면서 괜히 시간과 돈만 허비했다는 씁쓸한 생각을 하게 되었습니다. 내가 기도해서 응답을 받아야지 다시는 이런데 무모하게 오지 않겠다는 다짐을 했습니다. 비록 영력은 그분만 못할지라도 뭐가 잘못된 것인지는 분별할 정도로 성장하게 된 것입니다.

연수원의 모든 프로그램은 저의 무지한 영을 일깨워 주는 역할을 했습니다. 〈성령사역연수원〉을 통해 많은 은혜를 받았을 뿐더러 사역자로서 사역의 현장에서 꼭 알아야 할 필요한 모든 것들의 기반을 든든히 세워 나가게 되었으며 이제 사역을 감당하고자 할 때 전과는 달리 자신감이 용솟음칩니다.

많은 곳으로 헤매이며 방황하지 않고 제게 꼭 필요한 것들을 알차게 배우며 훈련할 수 있도록 바른 길로 인도하신 하나님과 원장 김재선 목사님께 감사를 드리며 앞으로도 〈성령사역연수원〉에 저같이 갈급한 분들이 많이 오셔서 바른 신앙관을 정립하여 혼탁하고 어두워져 가는 한국교회의 강단을 바로 세워나가는 축복의 통로가 되기를 소원합니다.
모든 영광 하나님께 돌립니다. 할렐루야!

'부실공사'가 '튼튼공사'로

유 숙 진 집사
(2기 새순교회/서울)

저는 어린 시절부터 교회를 다녔습니다. 하지만 하나님을 믿으면서도 항상 갈급한 마음과 기도를 하려 해도 행동으로 옮기지 못하여 그저 생활 기도만 하면서 살아왔습니다. 그렇게 오랜 세월 신앙생활을 하면서도 항상 제안에 채워지지 않는 무언가로 부족함을 느끼고 힘들어 했습니다.

다른 분들이 기도해서 응답받았다는 소리를 듣게 되면 부럽기만 했고 나도 기도해서 응답받으면 좋겠다는 생각만 하면서 살아왔습니다.

그러던 중에 〈성령사역연수원〉의 1기로 먼저 앞서서 훈련받고 계시던 어떤 여 목사님과의 만남이 있게 되었는데 '하나님께서 목사님을 만나게 한 것은 무슨 뜻이 있을 거야.' 라고 생각하면서 서로 교제하며 중보 기도하면서 지내던 어느 날, 그 목사님께서는 "내가 다니는 연수원에서 세미나가 있는데 참 좋아. 이번에 「특수부대식 기도특공훈련 세미나」에 한번 참석해 보면 어떨까? 유집사도 같이 가서 훈련받으면 좋겠다." 라면서 저에게 〈성령사역연수원〉을 조심스럽게 소개하는 것이었습니다.

저는 목사님의 소개로 「특수부대식 기도특공훈련 세미나」에 참석해 보니 지금까지 내가 기도하고 있는 것과는 차원이 다른 기도의 영의 세계가 있다는 것을 알게 되었습니다. 내가 기도를 한다고 하면서도 잘 모르고 해 왔다는 것을 그때서야 알게 되었습니다. 그래서 아무것도 모르지만 한번 제대로 훈련을 받아 봐야겠다고 하나님께 기도하고 바로 「특수부대식 기도훈련 전문반」 2기에 등록을 하였습니다.

그런데 생각과 같이 기도가 쉽지는 않았습니다. 너무나도 기도하는 것을 사모하여 참석했었지만 여러 가지 주어진 환경 때문에 주춤주춤 망설여지는 것이었습니다.

그러나 사단이 제 안에 있는 많은 것들로 인해 훈련을 받지 못하게 방해하고 역사한다는 것을 깨닫고 마음을 굳게 먹고 시작하기로 하였습니다.

훈련받는 동안에 연수원에 행하여지고 있는 다른 여러 세미나에도 참석하게 되었습니다. 「예언은사 세미나」를 통해서 저의 믿음에 더욱 확신을 갖게 되었고 또 「치유능력 세미나」를 통해서는 우리의 믿음이 부족해서 역사가 일어나지 않는다는 것과 치유의 기도 속에서 영의 세계가 있다는 것을 알게 되었으며, 「대물림의 고통을 끊는 세미나」, 「근성치유 세미나」, 「상처치유 세미나」, 「마귀론 세미나」, 「종교의 영의 세계 세미나」, 「16시간 집중기도훈련」 등의 세미나에 참석하면서 저의 생활 속에 많은 변화가 일어났습니다.

예를 들면 「기도훈련 전문반」에서 기도하면서 하나님께서 건강을 주셨습니다. 항상 아프고 힘들어 하며 비실비실 하다며 잘 아는 목사님께서 '부실공사'라고 별명을 붙여 줄 정도였는데 지금은 피곤하여도 하루 밤 자고 일어나면 새 힘이 생길 정도의 '튼튼공사'로 바뀌었습니다. 이것 말고도 은혜 받은 여러 가지 많은 일들이 있었습니다. 하나님께 영광을 돌리면서 그 중에 제가 특별히 여러분과 나누고 싶은 세미나가 있습니다.

그것은 바로 「특수부대식 집중기도훈련」으로 2박3일간 집중하여 16시간 기도하는 훈련입니다. 2008년에 참석하고 싶은 마음이 너무 강해서 이것을 위해 기도를 했으나 생각보다 기도가 힘들고 잘 되질 않아 참석을 못하고 있다가 2009년 사순절 기간에 연수원에서 실시하는 「집중기도훈련」에 등록하였습니다.

제가 섬기고 있는 교회에서는 사순절 기간에 전교인 릴레이 기도가 있습니다. 그래서 저도 하루 금식을 하기로 했는데 다른 때와 다르게 너무나 힘들었습니다. 그런데 제 안의 성령께서는 3일을 금식해야 한다고 계속 말씀하셨습니다. 하지만 이번에는 하루도 너무나 힘이 드는데 어떻게 3일씩 할 수 있을까 생각하면서 제 마음을 접었습니다. 예전에는 3일도 힘들지 않게 하곤 했는데 이제는 자신이 없고 또 하루 하는 것도 너무나 힘들어서 저는 '하나님 할 수 없어요. 또 일하면서 어떻게 3일씩이나 금식하란 말예요?' 라고 하면서 순종하지 않았습니다.

그리고 주일이 되어 교회에서 예배를 드릴 때 선포되는 말씀이 '한나의 기도'였는데 그 말씀을 들으면서 제 마음에 '그래, 하나님 뜻에 순종해야겠구나. 죽으면 죽으리라' 하면서 하나님께 '금식할께요.' 라고 고백하였습니다. 그러나 영 자신이 없어 온 가족들에게 금식한다고 선포하고 중보기도를 부탁했습니다. 다들 한마디씩 거들며 말하기를 '일하면서 어떻게 3일 할 수 있겠느냐'고 하루만 하라고 권유를 했습니다. 하지만 저는 "하나님이 힘을 주실 것이며 그렇지 않다면 기도하다 죽으면 이것처럼 영광스러운 일이 없겠지. 분명 3일 금식하라고 하시는 하나님의 깊은 뜻이 있을 거야." 하면서 그 뜻을 알게 해 달라고 금식하면서 「16시간 집중기도훈련」 에 저도 동참하게 되었습니다.

그 가운데 첫날이 지나가고 둘째 날 기도 중에 김재선 목사님께서 '지금 하나님께서 치유의 은사가 임하고 있으니 받으라'고 말씀하셨습니다. 그때 그 말씀을 들는 순간에 제 입술에서는 감사의 기도가 나왔습니다. 금식하면서 하나님 뜻을 알게 해달라고 기도 드렸는데 그 순간에 소중하고 귀한 선물을 주시려고 금식을 하게 하셨다는 것을 깨달았습니다. 행복한 감사의 기도를 드렸습니다.

3일 동안에 금식을 하면서도 힘이 하나도 들지 않고 오히려 힘이 더 생겨 16시간 기도가 끝나고 집에 오면서 혼자 생각을 했습니다.

'오늘 방문하는 고객이 없으면 쉬면서 감사 기도를 해야겠구나' 생각하면서 제가 운영하고 있는 피부관리샵으로 출근하였습니다. 그런데 가게 문을 열면서 생각지도 못한 방문 고객들이 들어오는 것이었습니다. 평소에도 고객들의 등 관리를 하다 보면 온몸에 기운이 빠지고 힘들었는데 그 날은 금식도 하고 기도를 마친 뒤끝이라 대단히 힘들 텐데도 일을 시작하고 보니 저도 모르게 손에서 힘이 생기면서 지치지 않고 일을 할 수 있었습니다. 놀랍고도 감사하면서 '이게 바로 능력이고 기적이구나.' 라는 생각을 했습니다. 고객들은 계속해서 들어오고 발걸음이 늦게까지 이어졌습니다.

그 뒤로 지금까지 하나님께서 늘 새 힘을 주셔서 기쁜 마음으로 일을 계속하고 있으며 또한 몸이 좋지 않은 사람들을 계속 보내 주셔서 그들이 주의 은혜와 능력으로 조금씩 회복되어 가며 그로 인해 입소문이 나서 고객도 늘고 물질의 축복도 받고 있습니다. 이 모든 일들은 하나님께서 베푸신 은혜이고 축복임을 믿으며 모든 것을 하나님께 영광 돌립니다.

저는 평신도 집사이고 아무것도 할 수 없는 힘이 미약한 자이지만 하나님께서 주신 달란트가 무엇일까 생각하며 살아왔습니다. 하지만 하나님께서 「특수부대식 집중기도훈련」을 통해 귀한 선물도 주시고 저에게 건강도 허락하여 주시며 말로 다할 수 없는 많은 기도의 응답과 축복을 받았습니다.

저처럼 아무것도 아니라고 생각하셨던 분들도 연수원에서 하고 있는 기도 훈련과 다른 세미나를 받으면서 하나님을 더욱 더 알아 가고 신앙생활의 도움도 받고 기도의 능력과 담대함 그리고 영권을 쌓아 믿음의 승리를 함께 나누길 소망합니다.
지금도 하나님께서는 늘 저희의 기도에 응답해 주시고 역사하고 계심을 믿고 기도하면 하나님의 기적이 일어난다는 것을 확실히 선포합니다.
이 글을 읽고 많은 사람들에게 작게나마 도움이 되길 기도합니다.

기도로 승리하는 하나님의 군사

최 경 선 집사
(1기 성령의능력교회)

할렐루야! 하나님을 찬양합니다. 이렇게 간증문을 통해서 하나님께 영광을 돌릴 수 있게 됨을 진심으로 감사드립니다.

사람은 누구를 만나는가에 따라서 인생이 완전히 바뀐다고 생각을 합니다. 저는 김재선 목사님을 만나고 나서 인생관, 사상관, 삶의 목적이 완전히 바뀌었습니다. 제가 목사님을 만난 지가 벌써 만 6년이 되는 것 같습니다. 우리 하나님은 정말 좋으신 분입니다. 사모하는 영혼을 만족케 하시고 주린 영혼에게 좋은 것으로 채워 주시는 좋으신 하나님이십니다. 목사님을 만나기 전까지 저는 채워지지 않는 그 무언가 때문에 영적인 갈급함이 참 많았습니다.

그때 잘 알고 지내던 분으로부터 〈성령사역연수원〉을 소개받고 「특수부대식 기도특공훈련세미나」에 참석하게 되었습니다. 강의를 들으면서 엄청난 말씀에 전 '이거다!'라는 생각이 들었고 그때부터 저의 영적 방황은 끝이 났습니다.

강의를 들으면 들을수록 '목사님의 끝은 도대체 어디일까? 목사님은 어떻게 저렇게 엄청난 세계를 알 수 있을까?' 궁금해지기 시작했고 그때부터 제 발걸음은 연수원을 향해 부지런히 움직이고 있었습니다. 연수원에서 하는 세미나는 다 참석을 했고 몇 번씩 참석하는 세미나도 많았습니다. 그런데 같은 주제, 같은 교재일지라도 말씀을 들을 때마다 깨닫는 바가 달랐고 하나님의 말씀이 내 심령을 뚫고 들어왔고 하나님의 간섭하심 속에서 신앙생활이 기쁘고 감사했습니다. 저는 연수원에서 하는 세미나는 모두 좋은데 그 가운데 「특수부대식 집중기도훈련」에 대해서 제가 기도하면서 느끼고 터득한 방법들을 간단히 글로 쓰려고 합니다.

우리가 하나님을 믿은 후 가장 먼저 할 일이 기도인데 기도를 제대로 가르쳐 주는 곳도 없고 주먹구구식으로 그냥 기도하다 보니 기도에 대한 발전도 없으며 갈급함이 알게 모르게 다 있는 줄 압니다. 날마다 기도하지만 기도에 대한 만족감이 없고 문제 하나 터지면 금식하고 작정하고 울면서 매달리다 보면 해결되는 것 하나도 없이 몇 달 가 버리고.... 그러나 특수부대식 능력기도는 기도하면서 아는 부분이 생기게 되고 특히 집중기도는 하나님의 영적인 세계, 하나님의 계획과 뜻을 알 수 있습니다. 성경은 많은 곳에서 집중기도를 말씀하고 있습니다. 오순절 성령강림의 역사도 집중기도를 통해서 이루어졌고, 한나가 집중기도를 통해서 하나님의 역사를 보았고, 모르드개와 전 유다민족이 집중기도를 통해서 죽음에서 생명을 얻게 되었습니다. 이러한 놀라운 하나님의 역사는 집중기도를 통해서 이루어졌고 그 밖에 주님께서도 분명히 문제가 있을 때 집중해서 기도하라 말씀하셨습니다. 집중기도 훈련은 정말 대단합니다. 우리가 신앙생활을 하는 것은 영이신 하나님을 믿는 것이고 영이신 하나님은 기도 가운데 만나 주신다는 겁니다.

3일 동안에 16시간 하는 기도라 처음에는 겁을 먹지만 목사님께서 친히 이끌어 주시기 때문에 누구나 다 할 수 있습니다. 「특수부대식 기도훈련 전문반」에서 목사님께서 기도를 이끄실 때 하시는 말씀들을 더 확실하게 체험할 수가 있습니다.

저는 집중기도를 통해서 정말 황홀경을 체험했습니다. 목사님께서 '집중해라', '기도 줄을 잡아라', '영을 열어라' 등 무수한 말씀들을 하시지만 아무리 집중을 하려고 해도 잡념은 계속 들어옵니다. 그런데 이번 집중기도 때 목사님께서 영을 열어 들어갈 수 있는 만큼 들어가라 하실 때 저는 첩첩 산중 깊은 곳에 있었습니다. 그때 목사님께서 "몰입하십시오!" 계속 그러셨고 저는 산중에서 끊임없는 들판을 계속 가고 있었습니다. 거기서 안 놓치려고 정말 사력을 다했습니다.

어느 정도 가다가 목사님께서 "혀를 돌려!" 할 때 사력을 다해서 기도해 왔기 때문에 혀가 그냥 돌아가 버렸습니다. 그 순간 목사님께서 또 "영을 열어!"라고 말씀하실 때 평소 저는 제 기도 제목을 올리면서 기도했습니다.

그런데 이번에는 혀가 돌아갈 때 환상으로 끊임없이 보이는 들판을 놓치지 않으려고 정말 집중을 했고 기도의 어떤 문제도 내놓지 않고 혀가 돌아가는 대로 그냥 기도했습니다. 그런데 순간적으로 하나님의 말씀이 들려지기 시작했습니다. 저는 그 말씀을 붙잡고 계속 기도에 몰입하였는데 그때에 주님과 계속 대화를 하게 되었습니다. 몰라서 주님께 물어보면 가르쳐주시고 거기에서 회개도 이루어졌습니다. 거기에서 환상이 열려 보일 때는 해석도 그냥 되어 버렸습니다. 정말 시간이 금방 지나갔고 그 상태에서는 집중이 그냥 되었습니다.

저는 거기서 또 깨달았습니다. 목사님께서 "붙잡아라!" 할 때는 기도 중에 알아지거나 보인 것을 가지고 집요하게 들어가라는 것이고, 문제 속으로 완전히 들어가라는 것입니다. 그리고 목사님께서 "기도 줄을 바꾸지 말아라" 할 때는 기도의 패턴을 바꾸지 말고 계속 그 리듬으로 가라는 것입니다. 정신 바짝 차리지 않으면 기도가 흐트러져 버리고 그때부터 잡념이 생기고 기도가 길고 지루하게 느껴집니다.

집중기도를 하다가 시간이 되어 기도를 마칠 때는 영을 그 상태에 머물러 두기 때문에 끝나고 나서도 붕 떠 있는 것 같은 상태이고 집에 와서도 입술은 그냥 있는데도 내 영은 계속 기도를 하고 있음을 느낄 수 있었습니다. 영이 머문 상태에서 기도를 다시 시작하니까 다음날 기도해도 힘든 줄 모르고 기도를 하게 되었습니다. 그렇게 2박 3일을 기도하고 나서는 몸이 날아갈 듯 너무 가벼웠습니다. 집중기도를 통해서 영권이 더 길러지는 걸 느낍니다.

하나님께는 공짜가 하나도 없듯이 우리가 물질 드리고 시간 드려서 훈련 받는 것을 다 기억하십니다.

저는 연수원의 훈련을 통해 돈이 많아서 부자가 아니라 하나님을 아는 영적인 지식으로 인해 마음이 큰 부자가 되었습니다. 저는 '하나님의 군사'가 되어 영적으로 더욱 강해져 영적 싸움에서 대승을 거두고 잘했다 칭찬받기를 원합니다. 하나님의 군사로서 영적 싸움에서 대승을 거두는 길은 오직 기도밖에 없는 줄로 압니다.

■ 지리산 실전기도훈련

지리산 800미터 고지에서 밤새는 기도특공대

이 한 홍 목사

(3기 화평한교회/서울)

🌸 저는 전도사 시절, 담임 목사님이 기도원 원목을 하시던 분이라 기도를 하루 평균 서너 시간은 하는 편이었고 교회 개척을 하면서는 기도하는데 많은 시간을 보낸 적이 있습니다. 그러나 어느 날부터 기도가 의식화, 형식화되어 가면서 김재선 목사님께서 말씀하셨던 기도 공황기에 빠져 들어 영적인 답답함 속에 있었던 때가 있었습니다.

그 무렵, 노회 목사님으로부터 〈성령사역연수원〉을 소개받고 2008년 4월경 「특수부대식 기도특공훈련 무료 세미나」에 두 주간을 참석한 이후 「기도훈련 전문반」 3기에 등록하여 6기에 이르기까지 2년여 동안 훈련을 받았습니다. 그리고 연수원의 각종 세미나를 1회 이상 받으며 열심히 참석하였습니다.

「지리산 실전기도훈련」을 2008년도, 2009년도 두 해 동안 다섯 번 다녀오게 되었는데 그때 있었던 영적 경험들을 이렇게 나누게 됨을 먼저 하나님께 감사와 영광을 돌립니다.

「지리산 실전기도훈련」은 오전에는 잠시 휴식을 취한 후에 오후에는 김재선 목사님께서 영적 세계에 대한 특별 강의를 해주시고 밤에는 지리산의 가파른 산길을 따라 약 9킬로미터 정도 들어가 800미터 고지에 올라가서 밤새도록 기도합니다. 그야말로 실전 훈련을 하는 것인데 그동안 「특수부대식 기도훈련 전문반」에서 쌓았던 기도 훈련을 실전으로 사용해 볼 수 있는 시간입니다. 「16시간 집중기도훈련」과 「특수부대식 기도훈련 전문반」의 기도 훈련 중 많은 영의 세계를 체험 했지만 특히 2008년 지리산 실전기도 훈련 중에 하게 된 경험을 간증하고자 합니다.

첫날 기도하러 산에 올라갔을 때 까마귀 소리 같기도 한 "까악! 까악!" 하는 소름끼치는 소리가 들려 왔습니다. 이 소리는 김재선 목사님과 영음이 열린 몇 사람이 들었으며 사단이 자기 영역을 빼앗기는 것이 억울하여 떠나가면서 소리를 질러 댄 것이라고 김재선 목사님이 나중에 설명해 주셨습니다.

그때는 산속에서 텐트를 치고 야영을 하면서 기도를 하였는데 한밤중에 산돼지가 나타나 우리 야영지 가까운 곳에서 "우당당 탕!" 하는 소리가 들렸는데 기도가 끝나고 날이 샐 무렵에 보니 산돼지가 새끼하고 우리 주위를 돌아다니는 것을 목격하게 되어 머리가 쭈뼛 서기도 하였습니다.

마지막 날, 우리 일행 가운데 2명의 목사님이 영의 세계가 열려 하나님의 보좌 앞에 갔다 왔다는 얘기를 날이 밝은 뒤 듣게 되었고 한 동안 화제가 되기도 하였습니다.

저는 실전 기도 훈련을 마치고 일행을 싣고 하산하는 차량운행을 하고 있을 때였습니다. 잠깐 차량대기 하면서 속으로 기도하고 있었는데 갑자기 기도의 환상이 열리더니 눈앞에 보여지는 산의 색깔이 여러 가지로 변하면서 눈을 떠도 감아도 계속 보일 정도로 신비한 광경을 체험하게 되었습니다.

제가 아들 하나 딸 둘을 자녀로 두고 있는데 2008년은 제 아들이 중학교 3학년이었을 때입니다. 그런데 이 아이가 공부는 안하고 인터넷 게임에 중독되어 밤을 새워 게임을 하니 아침에 일어나지 못해 일주일중 4일은 학교에 지각을 해서 많은 걱정을 하고 있었습니다. 더 심각한 것은 공부를 하지 않으니 학교 성적도 하위권에 머물러 있었고 담임선생님도 지각을 너무 많이 하여 졸업을 시키기 어렵겠다고 까지 했습니다.

지리산 실전기도 중 몰입되어 기도하는 가운데 제 아들의 영을 괴롭히고 있는 악한 영이 보이는 것이었습니다. 그것은 '너구리의 영' 이었습니다. 그래서 연수원에서 기도 훈련 받은 대로 짓밟고 찌르고 자르는 기도를 해서 악한 영을 처리했습니다. 그후부터 제 아들은 게임 중독에서 해방되어 중학교를 무사히 졸업하고 지금은 고등학교 2학년이 되어 명문대 간다고 하루 10시간 이상 공부하고 있을 정도로 안정을 되찾게 되었으며 이제는 지각도 한 번 하지 않고 학교에 잘 다니고 있습니다.

다음으로 2009년도 「지리산 실전기도훈련」을 갔을 때입니다. 그때 제 큰 딸이 고등학교 3학년으로 수능 준비 중이었는데 모의고사를 볼 때마다 집중이 안 되어 시험을 망쳐 애를 태우고 있던 상황이었습니다. 그런데 지리산 실전 기도를 할 때 '벌떼 영'이 딸의 영을 괴롭히는 것이 보여 기도로 물리쳤습니다. 마침 기도하고 다음날이 모의고사 시험 중이라 제가 전화로 오늘 시험 잘 보았느냐고 딸에게 전화했더니 집중이 잘 되어 시험을 잘 보았다고 했습니다. 그 이후로 제 딸은 시험을 잘 보게 되었으며 수능 시험도 잘 치를 수 있게 되었습니다.

이렇게 「지리산 실전기도훈련」을 통해 고질적인 저희 가정의 문제들을 집중적으로 처리할 수 있었고 그 결과로 저희 가정의 문제들을 해결받고 지금은 행복한 삶을 살아가고 있습니다.

지금까지 〈성령사역연수원〉에서 훈련을 계속 받으면서 많은 환상과 투시와 예언을 하게 되고 성경 말씀을 더욱 깊이 볼 수 있게 되어 목회에도 많은 힘을 얻게 되었습니다. 더불어 기도 훈련을 계속하다 보니 많은 문제가 해결되고 성령의 역사가 나타나게 되었습니다.

이 마지막 시대에 하나님께서 성령의 능력의 도구로 사용하시려고 〈성령사역연수원〉을 설립하게 하시고 김재선 목사님을 원장으로 세워 주셔서 죽어 가는 많은 심령들과 목회 현장에서 사역의 많은 어려움을 안고 고민하고 있는 주의 종들에게 큰 힘과 능력을 불붙여 주고 계시는 것을 생각할 때마다 깊은 감사를 드리며 이 모든 영광을 하나님께 돌립니다.

■ 지리산 실전기도훈련

희한한 광고, 그리고 놀라운 변화

신 온 유 사모
(1기 은혜교회/서울)

🌸 2003년 어느 날 국민일보에 이런 광고가 실렸습니다.
"꿈 해석 세미나! 성경적이 아니면 세미나비 100배로 환불해드립니다"
세미나비를 환불해 준다고? 처음 보는 희한하고도 자신만만한 광고였으며 아주 매력적인 광고였습니다. 그동안 많은 꿈을 꾸면서도 어떻게 대처해야 할지를 몰라 관심이 많았었는데 이 광고에 눈길이 가지 않을 수 없었습니다. 제 남편 목사님도 이 광고를 보더니 "꿈 해석 세미나 광고가 났네. 당신 관심이 많았잖아? 한번 가보지 그래!" 남편 목사님의 적극적인 권유에 힘입어 한걸음에 달려와 세미나에 참석하게 되었습니다.

당연히 가슴 부푼 기대감을 가지고 세미나 장소인 〈성령사역연수원〉에 달려오게 되었지요. 강사는 연수원 원장이신 김재선 목사님으로 외모에서도 풍기듯 깔끔하고 단정한 멋진 이미지와 어느 한 부분도 빈틈이 없을 정도로 완벽한 내용으로 진행해 나가는 세미나는 지금까지 한 번도 들어보지 못한 그런 내용들이었습니다.

꿈을 해석하는 성경적인 근거와 원리가 있는데 그 원리대로 해석하게 될 때 신기하고 놀라울 정도로 정확하게 해석이 이루어졌습니다. 일반적인 상식으로 꿈은 기독교에서 다룰 분야가 아니고 무당들이나 점쟁이들이 해몽하는 것이라고 치부하고 살아왔던 저의 고정관념을 뒤흔들며 인식을 뒤바꿔 놓는 세미나였습니다.

그렇게 진행된 「꿈해석 세미나』는 너무 명쾌하고 정확하여 입을 다물 수 없을 정도로 놀라운 강의였습니다.

세미나비를 감히 돌려 달라고 할 수 없을 정도로 김재선 목사님의 성경적으로 풀어 나가는 논리적인 정확한 설명과 실제로 현장에 참가한 사람들의 꿈을 듣고 해석해 나가며 실기를 해 보이는 모습에 매료되어 흥미진진하게 들으며 감동과 감격 속에서 잘 마치게 되었습니다.

이렇게 〈성령사역연수원〉과의 인연이 시작되어 「특수부대식 기도훈련 전문반」 1기로 등록하게 되었고 그 이후에 매주 진행되는 수많은 세미나에 빠짐없이 참석하게 되는 동기가 되었습니다.

한두 가지 세미나가 아니고 20여 가지가 넘는 각종 세미나에 참석하면서 내 삶의 형편이 달라지고 내 생각이 달라지기 시작했습니다. 알지 못했던 영의 세계를 알게 되었고 영의 눈을 뜨게 되었고 여러 가지 체험을 하게 되었습니다.

그렇게 세미나에 열심을 내고 있던 2009년 여름 「특수부대식 지리산 실전기도훈련」을 간다고 할 때, 같이 가고 싶은 강력한 마음이 불일 듯 일어나고 있었습니다.

원장 김재선 목사님이 사단과 사투를 벌이며 승리하고 영의 세계를 열어 하나님 보좌까지 올라가 생생한 체험을 하고 능력의 종이 될 수 있었던 지리산 자락의 그 기도 현장에서 실제로 밤을 꼬박 새워 가면서 기도 한다는 것에 호기심도 생기고 기대감으로 가득했습니다.

그런 곳에 가게 되면 나에게는 어떤 변화가 올 것인가 궁금하기도 하여 가기로 결정을 하고 동행 하였습니다.

「지리산 실전기도훈련」의 프로그램 내용은 저녁 식사를 마친 후에 밤이 깊어지면 지리산의 첩첩 깊은 산중에 올라가 김재선 목사님이 오래 전부터 기도의 터를 닦아 놓은 800m고지의 그 장소에서 기도를 시작하여 날이 샐 때까지 계속 쉬지 않고 허리에 힘을 실은 능력기도를 하는 훈련을 하게 됩니다.

오전에는 산에서 내려와 간단한 수면을 취하고 점심을 먹은 다음, 오후 시간에는 연수원에서 들을 수 없었던 영의 세계를 이해하는 특강 세미나를 해 나가는 형태로 진행되는데 한마디로 말하면 특수부대 군인들이 산악 특별훈련 받는 것과 같이 "영적 특별 훈련장"이라고 표현해야 맞을 것입니다.

물론 혼자서 산 기도를 하게 되면 겁이 나기도 하고 힘이 들기도 하여 어렵겠지만, 김재선 목사님의 인도를 따라 하는 것이기에 그 장소에 모인 4~50명의 연수원생들은 산 기도의 경험이 없어도 자연스럽게 동참하여 기도 훈련에 임할 수 있었습니다.

3박4일의 「지리산 실전기도훈련」을 하던 둘째 날, 2~3시가 넘은 깊은 밤에 한참 기도에 집중하고 있는데 눈 앞에 갑자기 5~6개 정도의 계단이 펼쳐 보이기에 걸어서 그 계단을 따라 올라갔더니 빨간 꽃 한 송이가 보였고 그 다음 계단을 따라 올라가 보니 그곳에서는 백합꽃이 보였습니다. 그 다음 계단에 올라서니 어떤 형체는 보이지 않았지만 하나님의 보좌라고 느껴지는 곳에 이르게 되었습니다.
그때의 기분은 뭐라고 말로 표현이 안되는 황홀경 그 자체였다고 밖에는 표현할 방법이 없을 것 같습니다.
기도가 끝나고 나서도 하나님이 저를 강력한 손길로 붙잡고 계시다는 분명한 확신이 들었고, 지리산을 다녀온 후로는 기도할 때마다 무언가가 나를 강력하게 끌어 주시는 느낌이 들어 능력기도 시간에 기도하기가 훨씬 쉬워졌고 재미있으며 힘이 생겼습니다.

그렇게 「지리산 실전기도훈련」을 다녀온 이후로, 능력기도를 할 때 그동안 내가 미처 알지 못한 것을 알게 하시고 보지 못한 것을 보게 하시며 분별하지 못했던 것을 분별하게 하시고 기도 중에 사단을 만나면 그동안에는 어떻게 처리할 줄을 몰라 난감

해 하였으나 이제는 그 사단을 놓치지 않고 확실하게 박살내게 해 주십니다.

그동안에는 많은 시간 기도를 하려고만 했을 뿐, 기도 중에 사단을 만나도 분별하지 못하고 이기지도 못하고 전전긍긍하는 모습을 가졌던 영적으로 나약한 상태에 있었던 나의 모습과 지금을 비교해 보면 영권과 영력이 쌓였음을 분명 느끼게 됩니다.

현재는 저 자신이 많은 부족을 느끼고 있지만 이슬비에 옷이 젖는 것처럼 〈성령사역연수원〉을 다니면서 조금씩 바뀌어 가고 있습니다.

지금까지 연수원을 다니면서 놀랍고 신기한 것은 제 형편으로는 생각하기 어려운 일들이 하나하나 해결되고 있으며 남편 목사님이 몇 년째 다니고 있는 연수원의 세미나에 가지 말라고 가로막는 일이 없었고 제가 들어오고 나가는 일에 간섭함이 없이 저를 믿어 주시고 아낌없이 지원하고 있다는 것입니다. 심지어 세미나가 끝나고 저녁에 돌아오는 날에는 저녁밥까지 지어 놓고 기다리는 남편이 되었습니다.

주님과 더욱 영적으로 가까이 살면서 남편의 목회를 충실히 협력하고 싶습니다.

그동안 교회의 성도는 크게 늘어나지 못했으나 재정은 전보다 두 배가 훨씬 넘게 되었습니다. 또한 연수원을 다니면서 능력기도와 각종 세미나를 통하여 훈련을 받는 과정에 돌이켜 생각해 보니 콩알만큼 작았던 꿈이 태산만큼이나 커졌습니다. 목회의 내조에 대한 두려움 또한 사라졌습니다. 이것이 하나님의 은혜이고 저 자신에게 일어난 놀라운 변화가 아닐까요?

〈성령사역연수원〉으로 발걸음을 옮기게 하셔서 강한 훈련을 받게 하신 하나님의 놀라운 인도하심에 감사드리며 세상 어디에 내어 놓아도 감히 견줄 수 없는 영적 거장이신 연수원장 김재선 목사님을 만나 이처럼 놀라운 변화를 체험할 수 있게 되어 진심으로 뜨거운 감사를 드립니다.

깡통이 알통으로

강 성 대 목사
(1기 말씀능력교회/광명)

🌼 저는 한국의 장자 교단이라 일컫는 대한 예수교 장로회 합동(사당 총신)에서 신앙생활을 해 오다가 총신대 신학 대학원에 진학하여 신학 공부를 하고 목사가 되었습니다.

이러한 이야기로 서두를 시작하는 이유는 장로교 고신측과 합동측은 보수 중에서도 보수라 할 수 있는 교단인데, 여기에서는 방언도 인정하지 않고, 은사 사역은 물론 예배 시간에 찬송하면서 박수도 칠 수 없을 뿐더러 기도할 때도 묵상기도에 가까운 소리로 조용 조용히 해야 하는 곳이기 때문입니다.

"주여! 주여!" 삼창을 하는 통성기도는 감히 생각해 볼 수도 없는 삭막한 분위기 속에서 신앙생활을 하였습니다. 그러다 보니 뜨거운 기도 생활과 은사의 체험은 상상도 할 수 없는 노릇이었습니다. 이러한 상태에서 신대원 졸업과 강도사 고시 준비 과정을 거치면서 '목회는 학문으로 하는 것이 아니고 무릎(기도)으로 하는 것'이라는 깨달음 속에 영적 세계에 대한 깊은 관심과 열망에 불타 있던 중, 국민일보 광고를 통해서 〈성령사역연수원〉의 「꿈해석 세미나」에 참석하게 되었습니다. 연일 충격과 감격 속에서 2박 3일의 일정이 쏜살같이 지나 버렸습니다.

그 이후 연수원에서 진행하는 모든 프로그램에 참석하여 은혜를 받고 놀라운 체험들을 하게 되었습니다. 「방언 은사론」을 하면서 방언이 열리게 되었고, 「영서 은사론」을 하면서 영서를 쓰게 되었고 영서 해석까지 하게 되었으며, 「꿈해석 전문반」 과정을 통해서 꿈 해석을 할 수 있는 은사까지 받게 되었습니다. 「치유능력 세미나」에서는 치유할 수 있는 능력이 나타나게 되었고, 「희한한 능력 세미나」에선 전화기, 손수건 등 매개체를 사용하는 사역까지 하게 되었으며 말 그대로 희한한 능력들이 쏟아져 나왔습니다.

그리고 「특수부대식 기도특공훈련 세미나」를 통해서 기도의 영적 세계를 알게 되었고, 「종교의 영의 세계 세미나」를 통해서 하나님의 것을 사단이 제 것인 양 모방하고 흉내 내는 영의 깊은 세계를 알게 되었습니다. 이외에도 기도 훈련과 각종 세미나로 이어지는 일정 속에서 체험된 갖가지 것들을 말로 다 표현할 수 없어서 대단히 아쉽기만 합니다.
저의 모습을 돌이켜 보면 빈 깡통같이 속이 텅빈 모습에서 지금은 속이 꽉 찬 알통으로 변해 아름다운 결실을 맺어 가는 과정 중에 있습니다. 그동안 배웠던 모든 것들이 지금은 영적인 것들을 분별하는 잣대(표준)가 되어 상대가 한 마디 말을 하면 어느 영적 세계의 수준에서 말하고 있는 것인지 분별이 가능하게 되었습니다.

그 사람의 영혼의 무게가 느껴진다는 말입니다.

드디어 기다리고 기다리던「특수부대식 지리산 실전기도훈련」의 날이 가까이 다가왔습니다. 많은 기대와 설레임 그리고 또 한편으로는 두려운 마음이 들면서 마음속에 복잡 미묘한 감정이 교차하기 시작했습니다.

이윽고 D-day가 되어 전북 남원 버스터미널에 집결하여 운봉읍에서 빠뜨린 준비물들을 보충하여 드디어 지리산, 일명 세걸산 이라고 일컫는 옆 능선을 따라 800미터 지점까지 올라가야 했습니다. 산길을 굽이굽이 아무리 올라가도 그 길이 그 길 같아서 어느 정도 지점에 와 있는지 알 수 없을 정도로 숲이 빼곡하게 우거진 곳이 계속적으로 나타났습니다. 한낮에 도착하였음에도 불구하고 숲이 얼마나 우거졌는지 어두컴컴하였습니다.

9km정도의 산길을 따라 올라가는 동안 사람들은 말하기를 "김재선 목사님은 사람이 아니야. 어떻게 이런 깊은 산속에서 혼자 기도를 했단 말이야?" 하고 말하였습니다. 막상「지리산 실전기도훈련」에 와 보니 말 그대로 실전기도훈련이 어떤 것인지를 실감하게 되었습니다. 우리 일행은 첩첩산중을 돌고 돌아 정해진 위치에 도착하여 야영 준비를 하였습니다.

이때는 지금과 달리 산속에 직접 텐트를 치고 야영을 하면서 숙식을 해결했고 특강도 듣곤 했었습니다.

원장 김재선 목사님은 우리가 첫날 그 장소에 도착하니 산에서 귀신이 울부짖었다고 하시며 혹시라도 그 말을 듣게 되면 우리들이 겁을 먹어서 제대로 기도를 못하게 될까 봐 그때는 말씀을 안 하셨다고 하셨습니다.

아무튼 그날 밤 산에 올라가 각자 기도 자리를 잡고 여기저기 한둘씩 흩어져 어떤 사람은 나무를 붙잡고, 어떤 사람은 나무에 등을 대고 기도의 세계로 들어갔습니다. 이날 각자 개인별 체험은 실로 다양했습니다. 그러면서도 공통적으로 체험한 것이 있는데 그것은 일명 "도깨비불 현상"을 보게 된 것입니다. 처음에는 그 불을 보고 모두가 생각하기를 기도하는 사람들이 졸까 봐 김 목사님이 손전등을 켜고 여기저기 돌아다니는 줄로 알았다는 것입니다. 눈 감아도 보이고 눈을 떠도 보이니 조금 이상하다고 생각은 했지만 설마 도깨비불일 줄이야 아무도 생각을 못했던 것이지요. 인위적인 불이 아니고 도깨비불인 것이 분명한 사실은 그 불이 사람 눈높이 이상의 나무 사이를 빠르게 왔다 갔다 하는 데 있다는 것이었고 때로는 나무 꼭대기에 있기도 했습니다. 첫날 실전 기도가 끝나고 다음날 궁금해서 지난밤에 체험한 것들을 자연스럽게 대화하다가 알게 된 내용들입니다.

많은 이야기 중 몇 가지만 더 소개하겠습니다.

제 옆에서 기도했던 김 집사님은 기도하는데 큰 곰이 나타났는데 더욱 기도에 몰입하면서 "팍!팍!팍!"하는 능력기도로 내어 쫓았다는 것입니다. 어떤 사람은 불 수레를 타기도 하였고, 다른 청년은 권총이 주어지는 환상을 통하여 영권을 받기도 하였습니다. 저는 기도할 때에 큰 구렁이가 우측에서 옆구리로 접근해 왔는데 그때 "캇!캇!캇!"하면서 칼로 잘라 내듯 그 구렁이를 갈기갈기 잘라 버렸습니다. 그러면서 밤새도록 기도하는데 머리위에 구름 모양으로 둥그렇게 구멍이 뚫리는 것이 보였습니다. 그 순간 '내가 저 구름 위로 올라가야 되는데' 생각하며 아무리 기도를 해도 그 구름이 뚫린 구멍 속 위로 들어가지 못한 채 아쉬움을 뒤로 하고 이렇게 첫날 「지리산 실전기도훈련」은 끝나고 있었습니다.

다음 날 점심 식사를 하고 오후 시간에 김 목사님의 기도에 대한 특강을 듣고 그 자리에서 기도회 시간을 가지게 되었는데 한 시간쯤 지났을까 그때 기도한 모든 사람들 가운데 하나님께서 빛으로 역사하셨습니다. 이때 체험한 것은, 기도를 하는데 처음에는 바늘귀만큼 작은 점의 불빛이 점점 눈 앞으로 다가오면서 커지더니 점점 커진 불빛이 하늘을 덮고 있었고 처음에 다가온 빛이 빨강색, 그 다음에는 아주 밝은 노란색, 그 다음에는 햇빛보다 더 밝은 아주 투명하고 밝은 빛인데 이 세상에서는 볼 수 없는 빛이었습니다.
그 빛의 세계로 들어간 순간 내 영이 직감적으로 이곳이 셋째 하늘 바로 하나님이 계신 곳이라는 것을 알게 되었습니다.
그 순간 예수님이 보고 싶다는 생각에 "예수님! 보고 싶어요. 예수님! 보고 싶어요." 사모하면서 기다리는데 예수님은 나타나질 않으셨고 시간이 다 되어 아쉽게도 기도회가 끝나고 말았습니다. 「특수부대식 지리산 실전기도훈련」을 하다 보면 육을 초월하여 영의 세계에 들어가게 될 때, 눈을 감았는데도 눈을 뜬 것 같고 눈을 뜨고 있는데도 감은 것 같이 느껴집니다. 그런데 제 앞에 아주 투명해지면서 알아지고 보이는 환상들이 지나가고 응답이 오는 현상들이 나타납니다. 또 방언들이 영적 세계에 따라서 달라지며 하나님과 교통하는 역사가 일어납니다. 이때에 우리들에겐 자신감과 배짱, 감사가 넘쳐 나며 소망이 생기기도 합니다.

그러나 때로는 어떤 현상들이 기대만큼 체험되지 않아 실망을 하는 분들이 있기도 합니다. 분명한 사실은 그런 체험적인 것들이 없다 해도 자신도 모르는 사이에 영적으로 그만큼 성장하고 있다는 것을 명심해야 합니다. 혹시 「지리산 실전기도훈련」에 참석하신 분들 중에 아무 체험들이 없었다 할지라도 한 번, 두 번, 세 번, 네 번, 「지리산 실전기도훈련」에 참석하다 보면 자기도 모르는 사이에 자신의 한계를 초월해서 놀라울 정도로 성장해 있는 자신의 모습을 발견할 날이 온다는 사실을 기억하고 절대로 낙심하지 말고 인내하시면 좋겠습니다.
로마는 하루 아침에 이루어지지 않았다는 것을 기억하십시오.
하나님은 우리에게 "참으면 왕노릇 하리라"(딤후2:12) 고 하지 않으셨던가요?
약 5:11 말씀에 "보라 인내하는 자를 우리가 복되다 하나니 너희가 욥의 인내를 들었고 주께서 주신 결말을 보았거니와 주는 가장 자비하시고 긍휼히 여기는 자시니라" 이 말씀으로 인내하며 하나님께서 영의 세계를 열어 주실 때까지 소망을 부여잡고 달려 나가면 반드시 능력과 기적의 좋은 날이 오게 될 것입니다.

▌은사 세미나

† 꿈해석 기본반 세미나

† 꿈해석 전문반

† 예언은사 세미나

† 방언 통역 세미나

† 영서 해독 세미나

† 환상 세미나

† 투시 세미나

† 영감 세미나

꿈은 하나님이 주시는 응답입니다

김 성 희 강도사
(1기 성령의 능력교회)

제가 간증하고자 하는 것은 하나님께서 주신 꿈을 해석하지 못해 겪어야만 했던 어려움과 꿈을 통하여 제 삶 가운데 역사하시는 하나님을 여러분에게 소개하고자 합니다.

욜2:28에 "그 후에 내가 내 신을 만민에게 부어 주리니 너희 자녀들이 장래 일을 말할 것이며 너희 늙은이는 꿈을 꾸며 너희 젊은이는 이상을 볼 것이며…" 라고 성경에서도 꿈을 꾸는 것에 대해 언급을 하고 있는데 꿈에 대하여 구체적으로 자세히 알지 못하였기에 늘 궁금한 부분이 많았습니다. 그런데 「꿈해석 세미나」를 참석한 이후에 꿈에 대한 성경적 이론의 정립과 상징에 대한 해석 등을 실제로 해 볼 수 있는 기회가 주어져 얼마나 큰 은혜가 되었는지 모릅니다.

"꿈은 꿈을 꾼 사람의 영적 환경이나 실제 환경, 더 나아가 꿈 꾼 사람의 영성의 경지에 따라 주어지기 때문에 사람의 생각이나 감정은 전혀 들어가지 않고 하나님으로부터 오는 것을 정확히 알 수 있는 영적 세계의 깊은 것이다."

이는 〈성령사역연수원〉 원장이신 김재선 목사님의 은사론 중 「꿈해석 세미나」의 강의 내용 일부입니다.

저는 원래 꿈을 많이 꾸었지만 이 꿈을 해석하지 못해 너무나 답답했고 제 삶과 환경 가운데서는 수없이 많은 고통과 어려움을 당해야만 했습니다,

그러나 하나님께서는 크신 은혜를 베푸셔서 귀히 쓰시는 김재선 목사님을 만남으로 저에게 새로운 인생, 새로운 사역, 새로운 영적 세계를 펼쳐 나갈 수 있게 하셨습니다.

「꿈해석 기본반 세미나」는 성경에 나타난 꿈에 관해 전부 살펴볼 수 있으며 꿈에 대한 이론적 내용을 강의해 주십니다. 이 과정을 거친 후에 「꿈해석 전문반」을 할 수 있는데 전문반에서는 자신이 꾼 꿈을 기록하여 제출하면 목사님께서 강의에 맞게 선택해서 직접 꿈을 해석하는 과정을 보여 주십니다. 제 꿈뿐만 아니라 다른 사람이 꾼 꿈도 해석해 보면서 꿈을 좀 더 전문적으로 깊고 명확하게 해석할 수 있도록 훈련시켜 주십니다.

저는 열심히 하나님의 영적인 세계에 대한 기대와 소망과 희망을 갖고 여러 분야의 세미나를 통해 하나님 나라에 대한 영적인 훈련을 받기 시작했습니다. 처음에는 조금 어려웠지만 시간이 갈수록 점점 영에 대한 신지식과 실제를 알아감으로 하나님을 알게 되었고 영적 세계를 알 수 있었습니다.

믿음 생활을 하면서도 멀리만 느껴졌던 하나님께서 지금은 정말 저와 매일 함께 하시는 "임마누엘의 하나님"이시다는 것을

너무나도 실감나도록 가깝게 느낄 수 있게 되었습니다.

하나님께서 저에게 꿈에 대한 은사를 주셔서 지금은 하루하루가 너무나도 감사하며 행복함 속에 살아가고 있습니다. 그동안 저에게 많은 꿈을 꾸게 하시고 역사하신 일들이 수없이 많지만 그 중에 몇 가지 사례를 말씀드리고자 합니다.

2008년도 9월에 꾼 꿈입니다.

친정 어머님에 대한 꿈을 꾸었는데 3일 연속 장례식을 치르는 꿈을 꾸었습니다. 연수원에서 「꿈해석 기본반 세미나」와 「꿈해석 전문반」을 거쳐 훈련 하였기에 꿈을 해석할 수 있었지만 그래도 김목사님께 여쭈어 보았더니 한 달 안에 어머니께서 사고로 돌아가시거나 그렇지 않으면 병석에 눕게 되어 일어나지 못하신다는 꿈이라고 해석해 주셨습니다.

목사님께서 기도로 막으라고 대처 방법을 가르쳐 주셔서 그날 집에 가서 김재선 목사님께서 가르쳐 주신 능력기도로 '사망의 영'을 쳐 기도로 막았습니다. 기도하고 나서 어머님께 전화를 해서 "어머니! 되도록 집 밖에 나가지 마세요." 하였더니 어머님께서 "그렇게 하시겠다"고 하셨습니다. 어머니와 통화가 끝난 후 20분 정도 지나 어머님이 다급하신 목소리로 "정말 큰일 날 뻔하였다"고 하시며 전화를 주셨습니다. 저와 통화를 하고 10분 정도 지나서 저녁 준비를 하려고 시장에 갈까 하다가 집 밖에는 나가지 말라고 당부한 말이 생각나 시장에 나가는 것을 포기하고 있었다는 것입니다. 그러던 중 현관문 앞에 두부 장사가

왔기에 가까운 곳이니 괜찮다 싶으셨는지 두부를 사려고 나가
셨는데 갑자기 바람이 강하게 불어 현관문 유리가 와장창 깨져
몹시 놀랐다고 하셨습니다. 그럼에도 어머님께서는 놀라기만
하고 다행히 몸 한 군데도 다친 곳이 없으셨다는 것이었습니다.
어머님께서 제가 말씀을 안 드렸다면 아마도 사고가 났을 것이
라고 하시면서 하나님께 감사하시는 것이었습니다.
만약 하나님께서 꿈을 통해 미리 보여 주시지 않으셨다면 알지
도 못했을 것입니다. 하나님께서 꿈을 주셨어도 그 꿈을 해석할
능력이 없었다면 어머님께 닥칠 큰일을 미연에 방지하지 못하
였을 것입니다. 3년이 지난 지금까지 어머님은 아주 건강하게
믿음 생활을 잘하고 계십니다.

지금도 수많은 사람들이 매일 밤 꿈을 꿀 것입니다. 꿈의 종류
도 9가지나 될 정도로 다양하거니와 때로는 꿈을 해석할 수 없
어서 답답해하는 사람도 있을 것이고 꿈을 무시하여 고난당하
는 사람도 있을 것입니다. 하나님께서 우리에게 꿈을 주시는 이
유가 아주 많겠지만 그중에서도 미래를 미리 알려 주셔서 위험
에서 벗어나게 하고 생명을 보존하게 해 주셔서 사명을 잘 감당
하며 행복한 삶을 살아가게 하기 위함인 줄 믿습니다.
「꿈해석 전문반」을 통하여 꿈을 해석함은 물론 대처 방안까
지도 훈련받게 되어 사역에 얼마나 큰 힘이 되는지 이루 말할
수 없습니다. 잠든 가운데에도 하나님께서 꿈을 통해 제게 말씀
해 주셔서 제 삶을 항상 지켜 주시고 함께 해 주심을 느끼기에

저는 늘 기쁘고 행복합니다.

하나님께서 저에게 1남 1녀의 자녀를 주셨는데 첫째가 딸이고 둘째는 아들입니다. 2009년 3월에 꿈속에서 아들이 집을 나가 학교를 가지 않는 꿈을 꾸게 되었는데 얼마 후 실제로 아들이 갑자기 가출을 해서 학교에도 못 가게 되었습니다.

학교에서는 결석 일수가 많아지자 담임선생님께서는 자퇴서를 내라는 것이었습니다. 저는 너무나 암담했습니다. 어찌할 바를 몰라 뒤늦게 일 터진 후에야 꿈 꾼 것을 생각하고 그 꿈을 해석하면서 기도로 대처했습니다. 그랬더니 기도한 지 이틀 만에 아들은 무사히 집에 돌아왔고 다시 학교에 나가게 되어 지금까지 학교생활을 충실히 잘하고 있습니다.

꿈을 꾼 즉시 미리 기도로 막았더라면 더 큰 어려움을 겪지 않았을 것인데 기도로 막지 못한 것이 꿈을 꾼 그대로 현실로 닥쳐와 어려움을 당했지만 늦게나마 꿈을 해석하고 기도로 대처해 문제를 해결할 수 있어 주님께 감사드립니다.

그렇습니다. 꿈이라는 이 세계를 알면 알수록 신비롭고 너무나도 재미있습니다. 김재선 목사님께서 세미나 강의 중 "21세기는 이 땅에 영의 시대가 도래한다" 라고 말씀하신 것처럼 우리의 삶이 영적인 것에 연결되어 있다는 것을 저는 꿈을 통해 확실히 알 수 있었습니다.

꿈을 영적 세계에서 일어나는 일로만 여겨 신비한 것으로 치부하고 하나님께서 꿈을 통해 말씀해 주시는 것을 아무런 뜻이 없는 꿈이라고 무시하며 소홀히 할 수도 있습니다.

그래서 우리는 영의 세계, 영의 지식을 모르면 내 삶에 어려움이 오는지도 분별할 수 없어 환란을 당하고서야 하나님 앞에 와서 징징대며 울기만 하는 사람들을 보게 됩니다. 그러나 영의 세계, 영의 지식을 알면 우리는 하나님께서 베푸신 놀라운 축복 가운데 이 축복을 누리며 살아갈 수 있게 됩니다.

지금 얼마나 제 마음이 부요하고 평온하고 행복한지 모릅니다. 돈이 많아 부자가 아니고 남편이 잘 해줘서 행복한 것이 아니라 영의 세계와 영의 지식을 통해 하나님을 앎으로 부자가 되었으며 행복한 삶을 누리고 있습니다.

제 마음을 부요하게 하신 하나님께 정말 감사드리며 그동안 영적 세계를 몰라 어려움 속에 살아야만 했던 저를 가르쳐 주시고 훈련시켜 주신 김재선 목사님께도 감사를 드립니다.

궁금증과 목마름이 해결되는 샘터

최 은 자 전도사
(1기 성령의 능력교회)

🌸 하나님은 하나님의 기쁘신 뜻을 위하여 필요한 자에게 소원을 주시고 그 소원대로 행하시는 분입니다.

아리마대 사람 요셉이 빌라도에게 와서 당돌하게 예수의 시체를 달라고 말한 것처럼 바울 사도가 담대히 사람들 앞에서 전한 것처럼 하나님은 저의 마음속에도 하나님의 말씀을 확실하게 알아서 당연히 할 말을 담대하고 확신 있게 선포하라는 강력한 소원을 주셨습니다.

하나님께서 저에게 바라시는 바가 있음을 깨닫고 남보다 뒤늦게 신학을 하게 되었습니다.

신학을 공부하는 가운데 저는 특이한 꿈들을 종종 꾸게 되었고, 다른 사람들도 제 꿈을 꾸며 아주 큰 교회 같기도 하고, 기도원 같은 곳에서 제가 설교하고 있는 꿈을 꾸었다고 말해 주기도 했습니다. 그러면 저는 "꿈은 꿈일 뿐이지, 좋은 꿈은 좋게 생각하면 되고, 좋지 않는 꿈은 신경 쓰지 말고 잊으면 되는 거야!" 라면서 꿈에 대한 성경적인 지식이 없기에 꿈을 거의 무시하는 편이었습니다.

모태 신앙인 저는 일반적으로 교회에서 하는 교육이 아니면 다른 곳에 가서 교육을 받거나 세미나를 잘 참석하지 않는 편이었는데 신비한 꿈을 자주 꾸게 되니까 꿈에 대한 관심이 절로 깊어지기 시작하면서 꿈에 대하여 자세히 알 수 있는 곳을 찾게 되었습니다. 그런데 기회가 온 것입니다. 100% 성경을 근거하여 꿈 해석을 한다는 〈성령사역연수원〉의 광고 안내문을 보게 되었고 2005년 8월에 설레는 마음으로 「꿈해석 세미나」에 참석하게 되었습니다.

원장이신 김재선 목사님은 강의를 통해서 꿈은 영의 세계이며 꿈의 영의 세계는 하나님으로부터 시작된 것이지 결코 무당이나 점쟁이에게서 시작된 것이 아니라고 강조하셨습니다. 그리고 기독교인이 꿈을 무당이나 점쟁이들이 해석하는 것으로 말한다면 도리어 사단이 행하는 거짓 영의 세계를 인정하는 것이 되고 만다고 하셨습니다. 사단은 피조물이어서 물질세계는 물론 영적 세계도 창조하지 못하기 때문에 하나님께서 창조하신 영적 세계를 도적질하여 제 것처럼 말하므로 여기에 속지 말아야 한다고 강조하셨습니다. 더 나아가 꿈의 창조자는 하나님이시기에 하나님의 백성은 꿈을 통해 주시는 놀라운 하나님의 영적 축복을 누려야 한다고 하셨습니다.

「꿈해석 세미나」 강의를 들으면서 '창세기 15장의 아브람의 꿈을 시작으로 사도행전 22장의 사도바울의 꿈까지 성경속에 꿈에 대한 기록이 이렇게 많았나? 그동안 성경을 여러 번 읽으면서 왜 꿈이 보이지 않았을까?' 하나님이 이렇게 많이 꿈으로 말씀하시며 성경 속에 꿈의 스토리와 해석 방법과 대처하는 방법까지 명쾌하게 기록하고 있는데 나는 왜 몰랐을까 하면서 내 마음은 요동치기 시작했고 기쁨의 감동이 저를 흥분시켰습니다.

「꿈해석 세미나」 강의를 듣고 나서 성경에 기록된 꿈이 입체적으로 보였고, 꿈에 대한 의식의 전환이 일어났습니다.

꿈은 하나님이 잠자는 동안 뇌 속에 이상으로 인간에게 자신의 뜻을 알려 주시는 하나님의 계시의 한 방편이고(단2:28,4:5) 하나님은 꿈을 통해 많이 알려 주셨는데 하나님으로부터 출발한 꿈을 이방인들의 것으로 취급하고 애써 무시해 버렸던 나 자신을 보게 되었습니다.

꿈이 하나님의 가장 정확한 예언이라고 말씀하셨는데 이런 하나님의 정확한 예언과 응답을 수없이 꿈으로 받았음에도 불구하고 그때마다 무시해 버렸던 어리석음과 무지했던 자신의 모습을 생각하며 세미나 기간 내내 하나님께 스스로 부끄럽고 죄송하여 고개를 못 들 정도였습니다.

이제는 새롭게 아는 지식이 믿음의 현장에서 능력이 되고 행함으로 나타나면 하나님이 주신 꿈을 몰라서 무시하지는 않게 될 것입니다. 사단은 하나님께로부터 나온 꿈의 영적 세계를 자기 것처럼 거짓으로 이용하기에 모르면 당하게 됩니다. 그래서 힘써 여호와를 알아 하나님의 강한 군사가 되려고 합니다.

김재선 목사님은 강의를 통해서 꿈이라고 해서 다 같은 꿈이 아니고 분명히 각기 다른 종류의 꿈이 있음을 알아야 하며 꿈을 해석하기 위해서는 먼저 꿈을 분석할 줄 알아야 한다고 말씀하셨습니다. 그리고 꿈을 분석하려고 하면 꿈의 종류를 알아야만 한다고 하시면서 꿈의 9가지 종류를 말씀해 주셨습니다.
꿈에 대하여 무지했던 부분에 대한 회개가 저절로 나오면서 새롭게 알게 된 지식에 대한 감사로 내 눈을 적시게 되었습니다. 그 이후로는 꿈에 대해서 민감해지니까 하나님이 꿈을 통해서 시시때때로 저의 길을 인도하시는 것을 알게 되었습니다.

2005년 12월 20일 4시 30분에 제가 꾸었던 꿈을 소개하면서 하나님께서 꿈을 통해 저를 새로운 교회로 인도하셨던 부분을 설명하려고 합니다.
크고 긴 성전 곳곳에서 5~6명이 청소를 하고 있고, 목사님(그 당시에 사역하던 교회)은 성전 중간에 있는 책상에서 무엇인가를 하고 계셨습니다. 저는 목사님 곁에서 목사님을 돕고 있었는데, 갑자기 제 핸드폰이 울렸습니다. 저는 핸드폰을 받기 위해 강대상 쪽으로 가서 통화를 했습니다.
"여보세요, 능력교회 김재선 목사입니다." "네, 안녕하세요." 순간 저는 마음속으로 "이상하다, 김재선 목사님은 연수원 원장 목사님인데 왜 '능력교회 김재선 목사'라고 하지?"라고 생각했습니다. 목사님은 저에게 "비전의 길이 열렸습니다. 열매가 보입니다. 준비하세요. 놓치지 마세요." 라고 말씀하셨습니다. 저는 "아멘, 감사합니다. 아멘" 하면서 대답했는데, 아멘 소리와 동시에 새벽기도 자명종 소리에 놀라 잠을 깼습니다.

제가 꿈을 꾼 시기에 김재선 목사님은 지방에서 목회를 하고 계시며 매주 서울로 올라오셔서 연수원을 먼저 운영하고 계셨을 때입니다. 그리고 세월이 흘러 김재선 목사님은 지방의 교회를 사임하시고 서울에 교회를 개척하셔서 지금은 〈성령의 능력교회〉의 담임 목사님이시며 〈성령사역연수원〉 원장이십니다. 저는 하나님께서 알려주신 꿈 내용을 생생하게 기억하고 있었기에 김재선 목사님께서 교회를 개척하신 이후 하나님의 인도하심에 순종하기 위해 2008년 4월 첫 주부터 〈성령의 능력교회〉의 전도사로 섬기게 되었습니다.

제가 〈성령의 능력교회〉로 옮겨 올 때도 하나님은 또 한 번의 꿈을 통해서 확신을 주시며 역사하셨습니다. 저에게는 "산모가 출산할 때 태아의 탯줄을 네 손에 있는 큰 가위로 자르라"고 하셨고, 남편을 통해서는 제가 김재선 목사님과 함께 기차를 타고 떠나는 것을 보여 주셨기에 순조롭게 교회를 옮길 수가 있었습니다.

다 기록할 수는 없지만 꿈을 통해 많은 것을 보여 주셨습니다. 지금도 하나님은 꿈을 통해 응답하시고, 깨닫게 하시며, 길을 인도하십니다. 장래 일도 알려 주시고 지혜도 주십니다.

「꿈해석 세미나」를 통해 성경적 꿈에 대한 명쾌한 해답을 얻을 수 있고 꿈의 영적 세계를 알 수 있으며 100% 성경을 근거로 해서 꿈을 해석하는 방법과 꿈을 해석하여 대처하는 원리까지 명쾌하게 알 수 있게 되었습니다.

누구나 꿈을 꾸지만 꿈에 대하여 제대로 정확하게 알지 못하면 꿈을 해석할 수 없고 그 뜻과 내용 또한 알 수 없습니다. 그런데 어디에서도 이렇게 꿈에 대하여 성경적인 원리와 이론을 정립하여 세미나를 하는 곳이 있다는 얘기를 아직은 들어 보지를 못했습니다.

〈성령사역연수원〉에서 진행하고 있는 「꿈해석 세미나」가 그런 궁금증과 목마름을 확실하게 해결해 줄 수 있는 샘터가 되어 줄 것입니다.

꿈을 통해서 계시하시는 하나님

박 병 동 목사
(2기 예성교회/부천)

2008년 3월 어느 날 아침에 아내는 예쁘게 오려서 간직
해 두었던 2007년 12월 「특수부대식 기도특공훈련 세
미나」 광고문을 만지작거리고 있었습니다. 아내는 4개월 전
에 이 광고문을 오려 놓고 참석하려고 기다리다 기회를 놓쳐 참
석치 못했었는데 이번에는 놓치지 말아야겠다고 벼르고 있다가
세미나 당일 아침부터 일찍이 준비하며 제게 가자고 성화였습
니다. 저는 별로 가고 싶지 않았지만 지체하면 아내의 성화가
더욱 거세질까 두려워 서둘러 준비하고 나섰습니다.

〈성령사역연수원〉 원장 김재선 목사님의 강의가 시작되었습니
다. 목사님을 보는 순간 머리카락 하나 흐트러짐이 없고 반듯한
모습에 빈틈없는 분임을 직감케 했습니다. 성경에 대해 설명 하
시면서 윤리와 도덕을 가르치는 책이 아니라고 말씀하실 때에
는 더욱 긴장이 되었습니다. 제가 목회자이기에 이 말에 더욱
귀 기울이게 되었나 봅니다.
김 목사님께서 능력기도는 어떻게 하는 것인가를 말씀하셨습니

다. 그러면서 기도 줄은 어떻게 잡아야 하는지 알려주시고 이 능력기도를 하면 어떻게 영권이 오는지 설명해 주셨습니다. 그리고 기도 방언의 발전 단계도 설명해 주셨습니다.

또 목사님께서 경험하신 세계도 말씀해 주셨는데 목사님의 기도 경력을 들어보니 너무나 엄청났습니다. 지리산 800m 고지에서 중이 30년 동안 도를 닦아 오던 자리를 기도로 탈환해 온 것, 그곳에서 성령의 인도하심에 따라 능력기도를 직접 배우며 훈련해 오신 것, 능력기도를 배운 후 영적 대결에서 승리를 얻으신 것, 7박 8일 동안 기도하신 모든 이야기들이 제 마음을 긴장하게 했다가 통쾌하게 했다가 흥분하게 만들기도 했었습니다. 목사님의 영의 세계에 대한 말씀을 들을 때에는 마치 내 영이 영의 세계로 빨려 들어가는 것 같았습니다. 능력기도가 과연 무엇인지 저도 그 위력을 체험하고픈 마음이 간절했고, 목사님은 과연 어떤 분이실까 하는 궁금증으로 가득 찼습니다. 저는 김재선 목사님의 말씀에 도전받아 인내하며 훈련을 받기로 결심했습니다.

그래서 저는 '능력기도 가죽벨트'를 구입해 본격적으로 「특수부대식 기도훈련 전문반」 2기에 등록하여 계속 훈련 받게 되었으며 더불어 연수원에서 개설된 세미나 모두를 거의 참석하게 되었습니다.

이렇게 세미나를 듣던 중 2008년 4월 「꿈해석 기본반 세미나

」에 아내와 함께 등록을 하게 되었습니다. 저는 평소 꿈을 잘 꾸고 꿈대로 이뤄지는 일이 많았습니다. 그래서 본 연수원에서 꿈 해석 세미나가 있다는 것이 제게는 얼마나 반가운 일이었는지 모릅니다. 저는 꿈에 대해 평소 가졌던 궁금증과 답답함을 모두 풀 수 있는 기회가 될 것이라는 기대를 가지고 강의에 임하게 되었습니다.

원장 김재선 목사님께서는 꿈 해석에 대해 유난히 강조하셨습니다. 꿈은 영의 세계에서 그 어느 세계보다도 깊다고 하시면서 환상, 투시, 감동 등의 다른 예언의 세계와는 달리 꿈은 우리가 잘 때 하나님께서 직접 주시는 것이기에 해석만 잘 하면 틀릴 염려가 없다고 하셨습니다. 다른 예언의 형태는 자신이 잘못 환상을 보게 되면 해석도 잘못하게 되는데 꿈은 하나님께서 잘 때 주시는 것이므로 우리의 개인적인 의견이나 실수가 개입될 수 없기에 틀리지 않게 된다는 것입니다. 그래서 꿈보다 좋은 하나님의 응답 통로는 없다고 말씀하셨습니다. 꿈을 많이 꾸는 저로서는 모든 것이 다 감격스럽고 고마울 뿐이었습니다.

앞으로 하나님께서 계시하시는 꿈의 시대가 온다고 합니다. 교회들이 이를 인정치 않고 있으나 그래도 하나님께서 꿈을 주시고 있어 꿈의 세계를 다루지 않으면 안 된다는 것입니다. 과거에 분명 신학적으로 꿈의 해석을 다루던 때가 있었다고 합니다. 그러나 헬라 문화의 영향으로 꿈을 영적인 것이라기보다는 지식적으로 받아들이기 시작하면서 안타깝게도 어느 신학자에 의해 역사 속으로 사라지고 말았습니다. 다른 사람이 생각지도 못할 때에 우리는 앞을 미리 내다 보고 꿈 해석 훈련을 받아 이 분야에 전문가가 되어 언젠가 빛을 보게 될 날이 올 줄로 믿습니다. 때가 이미 이르러 그때 준비하려고 하면 한 발 늦게 됩니다.

저는 김 목사님께서 이 말씀을 하실 때 너무나 큰 도전을 받았습니다. "그래! 하나님께서는 내게 전부터 계속 꿈으로 말씀해 오셨는데 이것을 계속 잘 다듬어 성장시켜서 꿈에 있어서 전문가가 되어 꿈의 시대가 도래했을 때 하나님께 사용 받을 수 있어야겠다" 고 다짐하게 되었습니다. 남이 보지 못할 때 먼저 보고 관심을 갖고 훈련하는 것이 큰 축복임을 알고 계속 저를 훈련해야겠다고 생각했습니다.

김 목사님께서는 꿈에 대해 많은 것을 말씀해 주셨습니다. 꿈은 하나님의 영의 세계여서 꿈꾸는 것 그 자체도 바로 영의 세계라는 것입니다. 꿈도 하나님께서 만드신 영의 세계에서 나왔는데 사단은 꿈을 제 것처럼 사용해서 하나님의 백성들을 끌어들이고 있습니다.

하나님께서는 불신자에게도 영몽을 꾸게 하십니다. 그래서 어떤 때는 불신자들도 하나님께서 꿈을 통해 불러내서 교회에 나오게 되었다고 하는 간증을 우리는 종종 듣곤 합니다.

지금도 하나님께서는 꿈을 통하여 계시를 주심에도 불구하고 자신의 편협한 생각으로 꿈을 무시해 버리면 안 된다는 것입니다. 그런데 오늘날 우리 기독교가 하나님께서 주신 꿈의 세계를 하나님의 것이라고 생각지 않고 믿지 않는 자들이나 하는 미신적인 행위라고 치부하고 있는 실정이라는 것입니다.

저는 강의를 들으며 꿈의 세계가 우리 하나님의 것임을 새롭게 알게 되면서 꿈의 세계를 우리 것이라고 선포하고 찾아와야겠다고 생각하게 되었습니다. 이처럼 「꿈해석 기본반 세미나」를 듣게 되면 이러한 생각들이 모두 새롭게 바뀌게 됩니다. 하나님의 것을 되찾아 와야겠다는 생각에 악의 영들에 대한 의분이 계속 솟구치게 됩니다.

또한 김재선 목사님께서는 꿈에는 그 사람의 일생의 모든 정보가 다 나타난다고 말씀하셨습니다. 그래서 영이 바뀌면 꿈도 바뀐다고 합니다. 불신자가 기독교인이 되면 꿈도 바뀌게 된다고 합니다. 기독교인들은 꿈을 통해 자신의 영적인 상태가 어떤지도 모두 알 수 있게 됩니다. 목사님을 통해 들었던 꿈의 세계는 이처럼 우리가 생각지 못한 놀라운 세계였습니다.

저의 경우 김재선 목사님의 말씀을 듣고 "꿈 해석을 알아야 성경도 해석할 수 있겠구나" 하고 생각하게 되었습니다. 그래서 다른 세미나에는 참석하면서도 꿈해석 세미나에는 참석 안 하시는 목사님들이 안타까울 때도 있었습니다.

제가 이렇게 배우면서 느낀 것이 많습니다. 저의 경우 「꿈해석 기본반 세미나」는 4회 수강했고 「꿈해석 전문반」은 2회 참가 했습니다. 이렇게 훈련 받으면 받을수록 성경을 보면 꿈의 세계가 보입니다. 꿈에 관한 성경 구절이 모두 보입니다. 한번은 어느 성도 가정의 문제를 하나님께서 꿈을 통해 알려 주신 적이 있습니다. 그래서 그 가정을 위해 기도할 수 있었고 그 결과 그 가정의 문제도 해결할 수 있게 된 적도 있었습니다.

「꿈해석 세미나」라고 해서 목회하는데 관련이 없는 것이 아니라 오히려 성경을 해석할 때에도 꿈이 필요하고 성도들을 심방할 때에도 꿈이 필요했습니다. 저의 경우처럼 꿈을 통해 주신 말씀으로 성도 가정을 심방하고 문제도 해결할 수 있게 됩니다. 그리고 이렇게 훈련받고 나니 이제는 성도들 자신들이 꾼 꿈을 제게 물어 올 때에 제가 대답해 줄 수 있는 사람이 되어 있었습니다. 제 경험처럼 꿈은 목회에도 분명 많은 도움을 주는 것임을 거듭 말씀드리고 싶습니다.

김재선 목사님의 말씀처럼 제가 자고 있는 그 시간에도 하나님께서는 꿈을 통해 제게 말씀하고 계셨습니다. 기도하면 환상으로도, 감동으로도 말씀해 주시고 성경을 보면 말씀을 통해서도 제게 말씀하고 계십니다. 이 얼마나 감격스러운 일인지요. 깨어 있을 때도, 자고 있을 때에도 제게 말씀하고 계시는 하나님을 생각할 때 그 은혜에 감격하게 됩니다. 매 시간의 삶이 기쁨과 감사로 차고 넘치게 됩니다. 이렇게 저는 〈성령사역연수원〉

을 다닌 후로 아주 큰 보람을 가지고 사역을 하게 되었고 목회에 자신감을 갖게 되었습니다.
하나님께서 이러한 놀라운 경험과 제 시야를 많이 넓힐 수 있도록 훈련시키기 위해 〈성령사역연수원〉으로 인도해 주심에 더욱 감사드립니다.

지난 2년여 시간이 넘는 동안 저는 지각 한번 없이 연수원에서 개설된 모든 세미나를 거의 참석했습니다. 지금 간증문을 적기 위해 지난 2년 반의 시간을 돌아보게 되었습니다. 훈련 받으러 연수원을 올 때 때로는 아침 출근 시간의 지하철의 번잡함에 짜증나 오기 싫을 때도 있었고 재정적으로 힘들어 세미나를 포기하고 싶은 때도 있었지만 어느 새 2년 반의 시간이 흘렀습니다. 지금까지 인내하며 하나님께 훈련받고자 하니 재정적인 문제도 그때마다 하나님께서 제공해 주셔서 한 번도 빠지지 않고 모두 등록비를 제때에 납부하며 다니게 해 주셨습니다.

연수원과 교회를 오가는 지하철에서의 3시간이란 시간이 제게는 참으로 값진 시간이 되었습니다. 목회자가 되니 처음 하나님께 받았던 은혜의 감격을 찾기 어려웠었는데 이곳에서 훈련받는 동안 저는 하나님의 크신 은혜에 더욱 감사하고 기쁨을 갖고 감격해 하며 하나님의 일을 하는 종이 될 수 있었습니다.

이런 저의 변화에 주변의 사람들은 제가 많이 달라졌다며 칭찬을 해 주시기도 했습니다. 이제는 저 자신뿐만 아니라 다른 사람들이 보기에도 달라 보일 정도로 제가 성장해 있음을 느낍니다. 이에 더욱 자신감을 가지고 하나님의 일을 하게 되었고 더욱 확신 있고 담대하게 성도들을 지도할 수 있게 되었습니다. 저를 이토록 훈련시켜 주신 〈성령사역연수원〉 원장이신 김재선 목사님께 감사드립니다.

이 모든 일을 이루신 하나님께 영광 돌립니다.

8가지 예언 은사의 세계

이 행 복 목사

(1기 은총교회/서울)

 제가 〈성령사역연수원〉을 오게 된 동기는 전적으로 하나님의 은혜입니다.

오랫동안 교회에서 부교역자로 사역하느라 목회의 질적 성장을 위한 공부를 하고 싶었지만 할 수 없는 형편이었습니다. 그런 제 마음을 하나님께서 아시고 공부를 할 수 있는 기회를 주셔서 계속해서 말씀으로 저를 채워 갈 수 있었습니다.

말씀으로 채워 나가는 공부가 끝나갈 무렵, 제 속에서 "아~ 이제는 기도가 고프다. 원 없이 기도하고 싶다" 는 또 다른 욕구가 일어나기 시작했습니다.

2007년 11월 마지막 주 어느 날 저에게는 평생에 잊을 수 없는 날이 찾아 왔습니다. 신촌에서 성경 공부를 마치고 식사 시간에 평소 친분이 있는 전도사님께서 능력기도를 하는 곳이 있는데 가보지 않겠느냐고 하여서 거기가 어디냐고 물으니 군자역 부근에 〈성령사역연수원〉이 있다고 대답해 주었습니다.

기도에 대한 갈급함으로 장기 금식기도를 해야 할지 생각하던 차에 귀가 번쩍 띄어 당장 가 보자고 했습니다.

부산에서 오신 사모님과 함께 〈성령사역연수원〉에 갔는데 그날 세미나를 마치고 원장이신 김재선 목사님이 성전에 계셨습니다. 저는 목사님께 "여기가 무슨 기도하는 곳이에요?" 라고 여쭈었더니 대뜸 하시는 말씀이 "한나의 기도를 아시나요?" 라고 하시면서 "엘리 제사장이 한나의 기도의 세계를 알았을까요?" 하며 도리어 저에게 반문하시는 것이었습니다.

이날 원장 목사님과 대화를 나누면서 이 연수원에 와 볼만한 가치가 있다고 판단되어 등록하기로 마음먹었습니다.

2007년 12월 첫 주에 「특수부대식 기도특공훈련 세미나」를 시작으로 「특수부대식 기도훈련 전문반」 1기에 등록하여 기도 훈련을 받기 시작하였으며 얼마 뒤에 「예언은사 전문반」 4개월 과정을 하게 되었습니다.

전문반은 예언에 대한 이론 강의와 실기가 병행되어 있어 신학교에서는 배워보지 못한 내용들을 배울 수 있었습니다. 예언을 배운다고 하니 "무슨 예언을 배워서 해? 하나님께 직접 받아서 하는 것이지"라고 반문하는 분들도 계실 것입니다. 저도 전문반 강의를 듣기 전에는 그런 줄 알았습니다. 그러나 「예언은사 전문반」을 공부하면서 저의 상식과 경험으로 알고 있던 예언의 세계에 대한 지식과 고정관념을 모두 뒤엎어 놓았습니다.

예언을 공부하기 전에는 보통 예언이라 하면 어떤 특정한 사역자들만의 사역이거나 영역이라 생각했었는데 공부하고 나니 나도 할 수 있다는 생각을 하게 되었습니다.

저는 예언이라고 하면 '말씀의 예언'과 '은사적 예언'이 있고 그 밖에 성경속에 예언에 관련된 구절이 있다는 것을 알았지만 「예언은사 전문반」을 통해서 예언에는 8가지, 곧 말씀, 환상, 꿈, 투시, 영감, 예언, 영서, 방언통역이 있다는 사실을 알게 되었습니다. 이 8가지의 예언의 은사는 독립적으로 이루어지기 보다는 서로 보완적이고 협력적인 관계에 있다는 것입니다.

그리고 예언의 유형에는 경고성, 축복성, 권고성 등 여러 가지 가 있고 예언 사역자들이 각자의 예언 유형과 사역론에 따라서 사역하고 있음을 알게 되었습니다.

요즘 일부 예언 사역자들은 예언 상담, 은사 접목이라는 광고를 하며 집회를 하고 있는데, 이러한 집회들이 좋은 점도 있겠지만 때로는 믿음의 사람들을 혼란에 빠지게 만들기도 합니다. 「예 언은사 세미나」를 통해서 체계적으로 이론과 실기를 공부하고 나니 예언 사역자들의 예언 유형과 사역론의 세계가 환하게 보 여 좋은 점과 그렇지 않은 점을 분별하게 되었습니다.

「예언은사 전문반」 강의를 통해서 제가 얻게 유익한 점을 말 씀드리고자 합니다.

첫째로, 말씀을 볼 때 달라지게 되었습니다.

제가 성경을 통해 읽거나 접할 때, 하나님께서 선지자들을 통해 서 또는 하나님의 사람들을 통해서 환상이나 투시나 꿈으로 보여 주시고, 영감으로 알게 하시고, 영서로 쓰게 하신 예언의 내용들이 어느 분야인지, 어느 세계를 말하고 있는지 알아지고 깨달아지는 것이었습니다.

둘째로, 은사적 예언에서 외적 충만으로 기도할 때 얻게 되는 유익이 있습니다.

기도할 때 영의 세계에서 말씀을 주셔서 깨달아지며 환상·투시·영감으로 알게 하시고, 지식의 알아짐·말하여지는 현상·영음으로 들려지는 현상을 통해 알게 하시고, 꿈을 꾼 것을 해석하고 진단해서 기도할 때에 붙들고 기도하여 처리함으로 갖가지 체험한 것들이 퍼즐로 맞추어 지는 것 같이 정립되어 기도할 때에 많은 유익이 되었습니다.

예를 들어, 우리가 2x1=2, 2x2=4 하며 구구단을 배울 때 하나하나 원리를 터득해서 외워 놓으면 언제라도 2×5=10 하고 바로 튀어나오는 것처럼 영의 세계에서 신지식이 내게 들어오게 되면 말씀은 말씀대로, 기도는 기도대로, 상담은 상담대로 바로 진단이 되어 유익하고 사용하기에 매우 좋았습니다.

만약에 이 「예언은사 전문반」을 공부하지 않았다면 그냥 적당하게 말씀의 세계와 은사의 세계로만 알았을 텐데 전문반을 통해 더 구체적으로 정립되면서 말씀을 보거나, 기도하거나, 상담하며 사역할 때 분별되고 알아지는 것이었습니다.

많은 간증 가운데 한 가지를 소개 하겠습니다.

「기도훈련 전문반」 1기가 끝나갈 무렵 어느 기도 시간이었습니다. 그 당시 여동생 집에 많은 어려움이 있었는데, 그 가정을 놓고 기도 하는 중에 투시로 커다란 코끼리가 보여서 순간 이것을 어떻게 할까 생각하는 동시에 순간적으로 전문반에서 배운 끊고 자르는 기도가 나오는데, 그것을 제가 하려고 마음먹어서 하는 것이 아니라 그냥 바로 알아지는 것이었습니다. 그래서 영력을 집중해서 먼저 코끼리의 머리를 큰 칼로 끊고 다리를 차례대로 한 군데씩 계속 자르고 몸통을 반복해서 계속 다 잘라 버리고 파쇄 시켜 버렸습니다.

그리고 집에 와서 동생에게 전화를 걸어 그 내용을 이야기해 주면서 "너희 집 문제 걱정 하지마. 이제 잘 해결 될 거야."라고 했습니다. 얼마 후에 동생으로부터 전화가 와서, "언니 나 희한한 꿈을 꾸었어요. 코끼리가 옛날 수레를 끌고 이리비척 저리비척 나무에 부딪히면서 쓰러질 것같이 비틀 거리면서 어느 길을 따라 가더라"는 것이었습니다.

하나님께서 「예언은사 전문반」을 통해서 확실하게 보여주시고 알게 하셔서 확신을 주셨고 지금 이 글을 쓰면서 동생 가정을 되돌아보니 많은 문제가 해결되어 좋아 진 것을 보고 하나님께 감사와 영광을 드립니다.

그동안 하나님께서 역사 하시고 〈성령사역연수원〉 김재선 목사님을 통해서 받은 은혜를 글로 다 표현할 수는 없지만 처음 영의 세계를 공부할 때 먼저 「예언은사 전문반」에서 8가지로 말씀, 환상, 투시, 꿈, 영감, 영서, 방언 통역, 예언의 세계에서 이론과 실기를 통해 배우게 하시고 윤리와 도덕이 아닌 영의 세계에서 말씀의 세계와 기도의 세계, 상담의 세계를 넓혀 주셔서 현미경으로 보는 것같이 세밀하게 볼 수 있고 또 망원경으로 보는 것같이 10배, 100배, 혹은 1000배 이상으로 멀리도 볼 수 있어서 지금은 배짱과 담대함이 생기고 말씀에 대한 두려움이나 기도에 대한 두려움이 사라지고 용기와 자신감이 생겼습니다.

그리고 좋으신 하나님께서 인내를 알게 하셨습니다. 지금 생각해도 제 성격이 급하고, 불의를 보면 참지 못하고, 바른 말 잘하던 성품이 연수원에 와서 훈련을 받는 동안 많이 변했습니다. 어느 날, 작은 딸이 "엄마, 천사 됐어!" 라고 하더라구요.

가끔 김재선 목사님께서 그런 말씀을 하십니다.

"하나님의 것으로 채워져 있으면 하나님께서 들을 자를 보내 주시고 붙여 주신다." 그래서 때론 갈등도 있지만 하나님의 때를 기다리며 영적인 많은 것들을 인내로 준비하고 있습니다. 이제 작은 구름 한 조각이 떠오르는 것을 보면서 그동안 인내할 수 있도록 도와주시고 알게 하신 하나님께 모든 영광을 돌려드립니다.

많은 부분에 부족함에도 불구하고 여기까지 이끌어 주신 원장 김재선 목사님께도 감사드립니다.

그리고 주님의 이름으로 사랑합니다.

구더기 무서워 장 못 담그시나요?

이 은 혜 전도사
(6기 하늘문교회/서울)

2008년 국민일보에 난 광고를 보고 찾아간 곳이 〈성령 사역연수원〉이었습니다. 구약의 말씀과 신약의 말씀이 모두 예수 그리스도로 풀어진다고 하는 신문 광고 문구가 엄청 마음에 와 닿았기 때문이었습니다.

참석한 첫 시간부터 한 번도 들어보지 못한 말씀을 하시는데 참으로 큰 은혜와 감동을 받았습니다. 얼마나 자신 있게 김재선 목사님께서 선포하셨는지 자석에 끌리듯이 찾아가게 되었습니다. 광고에 나온 대로 목사님께서는 모든 성경 말씀의 귀결을 오직 예수 그리스도로 마치셨습니다.

저는 그동안 크신 하나님의 은혜로 예수님을 영접하고 교회에서 집사와 권사로 신앙생활을 20여년 동안 하였고 또 하나님의 소명에 따라 신학교를 다니며 10여년 동안 전도사로 사역을 감당해 온 60이 넘은 여전도사입니다.

외할머니께서 서울 서대문 인왕산에 큰 절을 지으시고 그 절의 주지로 사셨기 때문에 저는 서울에서 태어나 어렸을 때부터 자연스럽게 절 밥을 먹고 부처 앞에 절하는 것을 보고 자라 왔습니다. 그런데도 저는 예수 믿는 장로님의 가정으로 시집을 가게 되었습니다. 시집을 가서 시아버님의 간곡한 기도와 설득에도 저는 절대 교회에 나가지 않겠다고 속으로 몇 번씩 다짐을 하면서 하나님을 믿느니 차라리 내 주먹을 믿고 살겠다고 할 정도로 완강하게 고집을 부렸습니다.

또 시아버님이 "아가야! 교회 같이 가자"고 하시면 "아버님! 하나님을 보여주시면 교회 갈게요."하며 아주 자신만만하게 큰소리 치곤 했었습니다. 그 당시 저는 생활이 풍족하여 부족함이 없었기에 더 큰 소리를 치며 하나님을 부인했던 것 같습니다.

그러던 어느 날, 저희 집에 아버님이 오셔서 지내시게 되었는데 주무시기 전에 인사를 드린 후 자려고 방문을 열었는데 아버님이 침대 곁에서 무릎을 꿇고 기도하고 계셨습니다. 조금 있다가 문을 열어보아도 여전히 기도를 하고 계시고 또 열어 보아도 계속 기도를 하고 계시는 것이었습니다.

저는 "그래, 그냥 자자."하고 잠자리에 누었는데 그 밤에 잠을 도무지 이룰 수가 없었습니다. "도대체 하나님이 누구시길래 저렇게도 간절하게 기도하실까? 정말 하나님이 살아계신 신이라면 내가 믿는 불교는 어떻게 되는거지?" 저는 그때부터 조금씩 마음의 문이 열리면서 자연스럽게 옆집에 사는 분의 권유를 받고 인도되어 교회에 나가기 시작했습니다.

결혼한 지 7년 만에 아버님의 기도가 응답된 것이었습니다.

그런데 교회에 나간 첫 시간부터 마음이 떨리고 감동이 오기 시작 했습니다. "이 하나님이라는 분이 정말 신이신 것 같다. 절에서는 중들이 먹고 살기 위해서 부처 앞에 와서 절하고 불공드리고 돌 앞에 가서 복 달라고 잘되게 해 달라고 비는 것이다. 지금이 교회란 곳엔 아무것도 보이지는 않지만 보이지 않는 중에도 거룩함과 무엇인가 있는 기운이 느껴지는 것을 보니 아버님이 말씀하시던 살아 계시다고 하는 그 하나님이 정말 계신가 보다"라는 생각이 들기 시작했습니다.

그 후 하나님의 은혜를 입어 미친 듯이 교회 생활에 몰두하며 다녔습니다. 몇 개월이 지나지 않아 새벽 기도를 하고 와 잠을 자는데 꿈속에 하나님께서 "내가 너와 평생을 같이 하겠으며 내가 너의 삶에 보장이 되리라." 는 말씀을 주셨습니다.

동시에 꿈속에 고대광실 같은 집을 보여 주셨는데 내가 마루에 앉아 마루 밑을 보니 맑은 물이 차 오르기 시작하는 것이었습니다. 계속 물이 차올라 가득 채워졌다 싶은 순간 물이 전부 쓸고 나가고 네 기둥뿌리와 지붕만은 그대로 있는 것이 보였습니다. 온 몸이 너무나 뜨거워서 우리 집에 불이 났는가 보다 하며 벌떡 일어나 보니 꿈이었습니다.

그 후 저는 한 번도 뒤돌아보지 않고 열심히 교회를 다녔는데 기도 생활을 하면서 하나님과 교제 중에 하나님께서 음성도 들려주시고 감동으로도 알게 해 주셨습니다. 그 후 "내가 너와 함께 함이라 내가 너를 들어 쓰리라"는 하나님의 말씀을 들었는데 그냥 쓰시겠다는 것이 아니라 주의 종으로 쓰시겠다는 것이었습니다. 그러나 저는 절대 그 길로는 가지 않겠다고 버텼습니다. 그러자 저의 가정에 환난의 바람이 불기 시작하면서 정말 네 기둥뿌리만 남고 썰물처럼 모두 쓸고 지나가는 그런 지경까지 오게 되었습니다. 그때서야 저는 하나님께 순복하고 돌아와 신학과정을 마치고 전도사로서 사역을 하게 되었습니다.

그 후 하나님의 은혜로 하나하나 잃어버린 재물을 회복시켜 주시고, 또 집에다 건물을 건축하여 올릴 수 있도록 여건을 풀어 주셨습니다. 건물이 다 올라가는데도 준공이 되질 않아 힘들어하고 있을 때 하나님께서 "내가 돕는 천사를 보내리라"는 말씀을 주셔서 그 말씀을 붙들고 1년 6개월을 기다릴 수 있었습니다. 이 기간 동안 부분적 공사비로 약 1억이 넘어 들어가야 될 상황이었지만 하나님께서 말씀해 주신 대로 돕는 천사를 보내주셔서 2천만 원도 들지 않고 마무리되어 준공검사가 나도록 해 주셨습니다.
이런 과정 속에서 참고 기다릴 수 있었던 것은 하나님의 확실한 예언의 말씀을 붙들었기 때문입니다.

저는 2010년 4월 초에 〈성령사역연수원〉에서 행하는 세미나 가운데 「예언은사 세미나」에 참석을 하게 되었습니다. 세미나를 들은 후 이런 생각이 들었습니다. 예언 은사에 대한 이런 말씀을 진작 들었다면 그동안 하나님께서 나에게, 또는 특정한 사람에게 주시거나 교회에 주셨던 수많은 예언들과 꿈을 잘 해석하여 대처할 수 있는 지혜가 있었을 것이며 그 많은 시간을 허비하지 않았을 것이라는 안타까움이 생겼습니다.

그러나 지금이라도 세미나를 통해서 예언의 세계를 알게 해 주신 하나님께 감사드리며 조금이나마 이러한 은혜를 서로 나누길 바라는 마음으로 간증문을 쓰게 되었습니다.

제가 신앙생활을 하면서 누구에게 물어 볼 수도 없고 혼자 갈등을 가졌던 부분이 '예언'에 대한 것이었습니다. 분명히 하나님께서는 말씀으로, 감동으로 예언을 주시는데도 교회 안의 환경과 분위기는 성경 말씀 자체가 예언이며 또한 사모하고 더욱 예언하기를 힘쓰라고 강조하면서도 절대 이런 은사나 예언이라는 것에 대해서 내어 놓고 말할 수 없게 합니다.

그 이유는 한국교회의 가장 큰 혼란을 가져왔던 은사가 바로 '예언 은사'였기 때문이라는 것입니다.

그러나 김재선 목사님의 「예언은사 세미나」에 참석을 하면서 제 고정관념을 깨게 되었습니다. 세미나 첫 시간에 김재선 목사님께서 "예언을 하고 안하고를 떠나서, 된장을 담그면 구더기가 생기지만 안 담그면 된장을 먹을 수 없게 됩니다. 만약 된장을 담그면 구더기가 생기게 되고, 구더기가 생기면 잡아내면 됩니다."라고 말씀하셨습니다. 예언에 대하여 빗대어 하신 말씀이셨습니다. 이왕 믿음 생활하며 하나님께서 주신 은사의 세계를 알고 있는 것이 낫다는 것이었습니다.

예언을 못하면 아예 문제가 일어나진 않겠지만 예언을 하면 문제가 일어날 수는 있습니다. 그러나 문제가 생기면 문제를 잡아내면 된다는 것이었습니다. 그러니 이렇게 일어날 문제가 무서워 예언을 아예 안 하면 되겠느냐는 것입니다.

김재선 목사님께서는 성경의 말씀 자체가 분명히 예언임을 입증하고 있으며, 예언의 한 부분인 환상이나 투시, 영감 등으로 오는데 예언이 없다고 하면 기도의 응답이 없다는 것을 강조하셨습니다. 이전에 제가 따로 따로 생각했던 부분들이 분리되어 있는 것이 아니라 서로 보완하며 협력해 주고 있음도 알게 되었습니다. 즉 영감, 투시, 환상, 말씀, 꿈 해석, 방언 통변, 영서 해독 이 모두가 예언 은사에서 오는 것으로 서로 보완적, 협력적이라고 설명해 주셨습니다. 또한 목사님께서는"예언의 원리를 제대로 알면 사고치지 않습니다. 실수하지 않습니다." 라고 하시며 성경적 원리를 조목조목 풀어 주셨습니다.

예언 은사 세계를 풀어 주시면서 영적 세계에 대해서도 확실히 알게 해 주셨습니다. 윤리적이고 도덕적 이론이 아닌 성경의 영적 원리에 근거한 예언을 하여야 한다는 것입니다. 그러시면서 참으로 깊은 영적 세계의 질서를 말씀해 주셨습니다. 오직 나와 하나님과의 관계가 중요하고 내 마음에 사심이 없이 사역을 잘 분별하여 감당함으로써 영적 권위와 질서를 세워 나가며 주의 종이 종다워야지 사람의 종 노릇하면 안 된다고 과감하게 말씀하셨습니다.

저는 김재선 목사님께서 하신 말씀에 큰 도전을 받았습니다.

그동안 제게 주셨던 예언들을 하나님께서 신실하게 에벤에셀로, 여호와이레로 응답하여 주셨건만 어느 사이 제 믿음이 퇴색되어 가고 있었습니다.

그래서 하나님께서 말씀하신 것들이 이루어질 것 같지 않았고 어느 정도는 제 마음이 해이해져 있었습니다.

이제는 내 믿음 하나만 잘 간수하고 사역은 그만 두려 했고 하나님께서 주신 말씀의 줄을 놓으려 했던 때에 「예언은사 세미나」를 통해 다시 한 번 하나님께서 제게 주신 음성, 즉 하나님과 나만 아는 예언인 말씀을 붙들게 되었습니다.

그리고 새 힘을 얻게 되어 다시 한 번 사역을 위해 기도하며 하나님의 음성에 부복하고자 합니다.

〈성령사역연수원〉으로 인도하여 주신 하나님께 감사를 드리며 김재선 목사님께도 큰 감사를 드립니다.

글씨같지 않은 글씨가 영서라니

김 은 임 목사
(6기 구로벧엘교회/서울)

 은사의 세계에서 영서에 대하여 간략하게 쓰려고 펜을 들었습니다.

오늘날 우리의 마음과 영혼이 대중 매체에 어쩔 수 없이 끌려다닐 수밖에 없으며, 정보사회에 쉴 새 없이 쏟아지는 것들을 다 알지도 못하고 넘어갑니다. 또 알았다 하더라도 온전하게 다 알지 못하고 겉만 보고 가게 됩니다. 다른 사람이 아닌 바로 제가 그런 사람 중에 한 사람이었습니다. 성경을 알았다고 다 안 것이 아니요 문맥도 제대로 모르고 넘어갈 뿐더러 더더욱 영적인 것은 더 모르고 넘어갔었습니다. 성경에 있는 것도 못 보고 넘어갔습니다.

요즈음 제가 다니는 곳이 〈성령사역연수원〉입니다.

이곳에 와서 보니 너무 재미있고 놀라운 일들이 많이 있었습니다. 또 새로운 것들도 알게 되었습니다.

제가 연수원에 오게 된 동기는 교회에서 기도의 일천 번제를 2010년부터 드리게 되었는데 기도의 일천 번제를 드리다가 문득 이런 생각이 들었습니다. 기도의 일천 번제를 하루 4번씩 드리지만 말만 일천 번제를 드렸지 아무런 응답도 없고 내가 드렸다는 사실만으로 끝나 버리는 것은 아닌가 싶은 생각이 들었습니다. 정말로 하나님께서 원하시는 기도의 일천 번제가 되기를 원하고 기도의 영이 열려 사역하기를 원했는데 기도의 영은 열리지도 않고 기도의 일천 번제를 드렸다고 하는 것에서 끝나는 것은 아닌가? 기도의 일천 번제를 끝내는 것이 형식적인 것이 되겠다 싶었습니다. 그래서 '어디 정말로 집중적으로 기도드리는 곳이 없을까?'하며 생각하던 중 국민일보 광고란에서 「특수부대식 기도특공훈련 무료세미나」를 한다는 내용을 보고서 오려 놓았습니다.

그러다 어느 날 전화해서 접수하고서 가야될 날이 되었는데 첫 날은 안 갔습니다. 어디 잘 돌아다니지 않은 편이라서 가기도 싫었을 뿐더러 자세히 알지도 못하고 해서 선뜻 나서지를 못했습니다. 그러다 둘째 날부터 가서 듣게 되었는데 그때가 2010년 2월 제13차 무료 세미나였습니다. 그렇게 13차가 끝나고 다음 주에 이어서 하는 제14차까지 접수하여 다니기 시작하였습니다. 둘째 날, 셋째 날 뭔가가 느낌이 있었습니다.
그래서 「특수부대식 기도훈련 전문반」 6기에 등록하여 다니기 시작했습니다. 다니다 보니 영감으로 깨달아지는 부분도 있어서 〈성령사역연수원〉에서 하는 모든 세미나를 다 참석하여 들었습니다. 많은 세미나가 있었지만 그중에 은사의 세계에서

「방언통역 및 영서해독 세미나」를 듣게 되었습니다.

영서에 대하여 이론적으로 배우면서 그간 알지 못한 것들을 알게 되었으며 영서는 하나님께서 쓰신 하나님의 글이라고 하셨습니다. 아무나 해독하는 것이 아니라 특정한 사람만이 해석할 수 있다고 하셨습니다. 글을 통해서 하나님의 뜻을 알게 하시고 하나님의 비밀을 글로서 알게 하신 것이 영서라고 하였습니다. 이 영서를 풀었던 선지자가 다니엘인데 벽에 손가락이 나와 쓴 "메네 메네 데겔 우바르신"이라는 글을 해석한 선지자입니다. 하나님께서 직접 두 돌판에 새겨서 모세에게 주신 십계명이 첫 번째이고, 또 다른 영서로는 벨사살 왕 앞에 손가락이 나타나 벽에 쓴 글입니다. 신약에서는 예수님이 땅바닥에 손가락으로 쓰신 것이 영서라고 합니다.

영서는 하나님의 뜻과 계획을 세상에서 사용하고 있지 않은 글로 기록하는 것이고 자신 또는 타인이 쓴 영서를 보고 하나님의 뜻을 알 수 있는 영서 해독의 은사가 있습니다.

이렇게 영서에 대하여 이론적인 내용을 배우고 난 후 실기 시간이 되면서 김재선 목사님께서 자신이 스스로 기도하면서 영서를 써 보라고 하셨습니다. 김재선 목사님이 기도해 주시고 난 다음 펜을 잡고 방언으로 기도를 하면서 손이 가는 대로 쓰기 시작하자 처음에는 글이 아닌 어린아이 장난하는 것과 같은 이상한 글이 나왔습니다. 점차 써 내려 갈수록 글자처럼 쓰이기 시작했습니다. 읽을 수는 없지만 뭔가 글처럼 보였습니다.

처음 쓰는 것 치고는 너무 잘 써 졌다고 옆에서 보는 사람마다 한마디씩 하였습니다. 잘 알지 못하였던 은사를 발견하게 되었습니다. 그뿐만이 아니라 저는 강단 앞에 나가서 영서를 칠판에 쓰게 되었는데 기록해 놓은 영서를 여러 목사님들의 기도를 통해서 마음에 오는 감동대로 해독하여 말하는 시간도 있었습니다. 이렇게 해독해 주시는 말씀들이 모두 제게 맞는 응답의 말씀들이었습니다.

전에 다른 집회에서 어떤 분이 앞에 나가서 방언을 하면서 열심히 글자도 아닌 것을 써 놓은 것을 해석한 것을 본 적은 있었습니다. 그때 신기하기만 했던 이 영서 은사에 대해 〈성령사역연수원〉에서 이론적으로 정립시켜 주시고 실습을 통해서 직접 쓰게 되어 영서에 대해 보다 확실하고 정확하게 알게 되었습니다. 예언의 세계에서 영서도 연결되어 있었습니다. 알고 보니 쉬우면서도 어려운 부분들이 있었습니다. 그러나 세미나를 통해서 배우고 정립하고 실습하자 아주 쉽고 분명하게 하나님의 응답을 받게 됨을 체험하게 되었습니다. 모르면 배워야 된다는 것을 깨달았습니다. "은사를 뭘 배워? 하나님께 직접 받아야지" 하던 저였습니다. 물론 은사를 하나님께 받지만 은사를 좀 더 체계적으로 갈고 닦아야 함을 알게 되었습니다.
하나님께서는 우리에게 성경을 통해 많은 은사가 있음을 알려주셨는데 우리가 그것을 우리의 잣대로 제한해서 하나님이 주시는 많은 은사를 받을 수 없었고 또한 우리가 가지고 있는 은

사조차도 어설프게 알고 사용하고 있음을 알게 되었습니다.

김재선 목사님은, 요즈음 성도들은 분명하게 설명되지 않으면 믿으려고 하지 않으며 이 은사의 세계도 확실하게 수학 공식처럼 풀려지고 논리적으로 이해가 되어야만 사람들이 믿으려고 한다고 말씀하셨습니다.

〈성령사역연수원〉에서는 이런 은사의 세계를 이론으로 체계적으로 정립하고 원리를 가르쳐 줘서 그것에 따라 하기만 하면 하나님께서 주신 은사를 못 받는 사람은 한 사람도 없다고 합니다. 저는 은사를 어려운 것이라 생각했는데 이곳에 와서 체험하면서 쉬운 것이라는 것을 깨달았습니다. 이 세미나를 통해 제 은사에 불을 다시 붙일 수 있어서 좋았습니다. 앞으로 영서가 해독이 되기까지 계속 노력하려 합니다.

완벽주의, 고집쟁이였던 제가 연수원에 와서 생각이 바뀌게 되었습니다. 영의 세계를 말한다 했지만 체험하지 않고 말하면 말만 할 뿐이지 진정으로 알고 한 것이 아님을 알게 되었습니다. 무턱대고 기도하던 것도 이제는 기도에 대한 이론을 배우고 실습하고 체험하며 알고 나니 체계적으로 할 수 있게 되었습니다. 「영서해독 세미나」는 영서의 은사를 이론적으로 배워 본 적이 없어 신비적으로만 생각하고 제한하려 하는 많은 사람들 누구나 듣기 적합한 세미나라고 생각합니다.

저의 숨은 은사를 발견하게 되고 배우게 해 주신 하나님께 영광 돌리며 김재선 목사님께 감사를 드립니다.

영서 해독이 한 줄 한 줄 되다!

신 수 영 집사

(3기 세계로교회/서울)

제가 〈성령사역연수원〉에 와서 자료 안내문을 보고 가장 듣고 싶었던 세미나가 바로 「방언통역과 영서해독 세미나」였습니다. 왜냐하면 제가 어렸을 때 방언도 받고 영서도 썼다고 했었는데 성장하면서 모두 잊어버려 방언은 중학교 때 회복했지만 영서는 쓰지 못하고 있었기 때문입니다. 저는 이 세미나를 들으면 다시 영서를 쓸 수 있게 될 것이라 잔뜩 기대하며 이 세미나 듣기를 학수고대 했었습니다. 그러나 금방 이 세미나를 들을 수 있을 줄 알았던 제가 연수원의 강의를 차례로 듣기 시작한 지 1년이 지난 2009년이 되어서야 처음으로 개설되어 들을 수 있게 되었습니다. 이 강의를 듣기 위해 참으로 오래 기다렸습니다.

「방언통역과 영서해독 세미나」를 듣고 가장 먼저 알게 된 것은 제가 하나님께 기도했던 대로 방언 통역하는 은사를 이미 주셨다는 것입니다. 그런데 저는 지금까지 예언에 대한 지식이 없어 방언을 통역하게 해달라고 계속 기도해 왔던 것입니다. 저는 방언을 통역하는 것이 마치 외국어 통역하는 것처럼 한 줄 한 줄 모두 되어야 한다고 생각했는데 그것이 아니었습니다. 세미나 강의를 통해 이러한 제 고정관념부터 바꾸어야 함을 알게 되었습니다. 하나님 입장에서는 참으로 답답할 일이셨을 겁니다. 제가 구한 대로 하나님께서 이미 방언 통역의 은사를 주었는데도 계속 통역하게 해 달라고 기도하니 말입니다. 저의 영의 세계에 대한 무지가 이토록 어리석게 행동하게 하고 시간과 노력을 허비하며 기도하게 하고 있었던 것입니다.

제가 영서 쓰는 은사를 다시 회복하게 된 것은 「예언은사 세미나」를 들을 때였습니다. 강의를 듣는 중에 갑자기 영서를 쓸 수 있을 것 같다는 생각이 들면서 펜을 들고 쓰려 하니 영서가 쓰이는 것이었습니다. 감격스러운 순간이었지요. 전에는 기억을 되돌려 보며 아무리 써 보려 해도 되지 않았었는데 「예언은사 세미나」를 듣는 중에 쓰니 어렸을 때 썼던 영서 글씨체와 똑같이 쓰게 된 것이었습니다.

이렇게 저는 영서를 다시 쓰게 된 후 노트를 마련해 계속 영서를 쓰니 목사님께서 말씀해 주신 것처럼 실제로 영서의 글씨체가 점점 세련되고 멋있게 바뀌게 되었습니다. 그런데 쓰면서 뜻을 알 수 없으니 답답했었습니다. 이런 가운데 드디어 듣기를 원했던 「방언통역과 영서해독 세미나」를 참석하게 된 것이었습니다. 이 세미나를 통해 영서해독과 방언통역의 성경적 원리들을 보다 체계적으로 배울 수 있게 되었습니다.

그래서 알게 된 것이 영서를 쓰는 것뿐만 아니라 해독의 은사까지 받아야 한다는 것이었습니다. 실기 시간을 거치고 나니 중간중간 조금씩 영서를 해독 하게 되었습니다. 그래서 전보다 영서 쓰는 것이 더욱 재미있어졌습니다.

그 후 4개월 후 쯤, 두 번째로 「방언통역과 영서해독 세미나」를 듣게 되었을 때였습니다. 실기 시간을 지나고 보니 하나님께서 제게 주셨던 은사가 한층 달라졌음을 느낄 수 있었습니다. 방언 통역 실기를 해 보니 제 방언뿐만 아니라 다른 사람의 방언도 통역이 되는 것이었습니다. 그런데 영서 해독 실기 시간에 해독을 해 보니 전보다 나아진 것이 없는 것 같았습니다. 사실 저는 세미나 듣기 전에 영서 해독을 더욱 잘 하게 해 달라고 간절히 기도했었습니다. 그렇게 기대하고 사모하며 두 번째 영서 해독 세미나를 들었는데 막상 실기 시간이 되어 해독해 보니 크게 달라진 것이 없는 것입니다. 실망스러웠지요. 그러나 신기한 일은 세미나가 끝난 수요일 저녁에 일어났습니다. 수요 예배가 끝난 후 제가 쓴 영서 노트를 보고 있었는데 갑자기 제가 쓴 영서를 읽어보고 싶은 마음이 들었습니다. 그래서 전에 영서를 기록해 놓은 어느 한 부분을 펴 놓고 눈으로 따라 읽기 시작하자 한 줄 한 줄 제가 쓴 영서가 해독이 되는 것이었습니다. 제게 일어난 일이 너무나 신기하고 놀라웠습니다. 마음을 열어 놓고 사모하니 하나님께서 제가 기도한 것보다 더욱 크고 놀랍게 응답해 주셨습니다.

세미나를 들어 좋은 점은 은사를 다듬는 시간을 줄일 수 있다는 것입니다. 원래 처음 영서를 쓰는 사람은 자신의 글씨체가 나오기까지 꾸준히 2개월 정도 써야 하는데 세미나를 받으면 세미나 기간 3일의 짧은 시간 내에 자신의 글씨체가 나오게 됩니다. 또한 방언통역과 영서해독에 대한 분별력을 갖게 하는 것이 본 세미나의 장점입니다. 하나님의 영으로 받은 예언과 악한 영을 통해 받은 예언을 구별할 수 있게 됩니다. 그리고 예언의 유형과 방법, 현상, 사역론 등의 예언의 원리를 체계적으로 모두 배울 수 있어서 누구라도 예언을 할 수 있게 됩니다.

제가 영서를 쓰고 나서 좋은 점은 제 기도를 기록으로 남길 수 있다는 것이었습니다. 그래서 영서를 써 놓고 시간 날 때 해독해도 됩니다. 시간을 두고 차근차근 기도 응답을 받을 수 있게 된 것입니다. 그리고 한 줄 한 줄 해독이 되니 기도한 내용을 꼼꼼히 살펴볼 수 있게 되었습니다. 무엇이라고 기도했는지, 하나님의 응답은 무엇이었는지, 언제 받았는지 등을 자세히 남겨놓을 수 있게 되었습니다.

〈성령사역연수원〉에서 개설하는 「예언은사 세미나」를 「방언통역과 영서해독 세미나」에 앞서 들으면 예언에 대한 기본적인 내용을 전반적으로 습득할 수 있어 방언통역과 영서해독 세미나를 들을 때 더욱 이해하기 쉽게 됩니다.

우리가 기도하면서 방언이 통역 되지 않는다며, 환상이 보이지 않는다며 투덜거리며 답답해 할 때가 있는데 이때 「예언은사 세미나」를 들으면 이러한 고민이 모두 해결됩니다. 우리가 하나님께 기도를 하고 응답을 받는데 사용하는 은사가 바로 예언의 은사였고 예언에는 방언통역, 영서해독, 꿈·환상·투시 해석 등이 있어 하나님의 응답을 받는 데에는 여러 가지 통로가 있음도 알게 됩니다. 이 사실을 알게 되면 한 가지 통로로만 하나님께 응답을 받아내려는 생각이 바뀌게 됩니다. 특히 영서해독과 꿈 해석은 다른 예언의 세계와는 달리 가장 틀릴 확률이 없는 예언이라고 강조하셨습니다. 저는 세미나를 들은 후 하나님의 응답의 통로에 대한 제 시야가 수천 배 넓어짐을 느꼈습니다. 그래서 저는 기도하고자 하는 분들에게 예언 은사에 관한 세미나를 "필수과목!"이라고 외치게 되었습니다. 그리고 이 「예언은사 세미나」를 들은 어떤 목사님께서는 미국의 예언학교와는 비교가 안 되는 놀라운 내용이라고 말씀하시며 「예언은사 세미나」에 대해 극찬을 아끼지 않았었습니다.

저는 지난 2년 연속 4기수 동안 개설된 세미나를 거의 모두 들었습니다. 그래서 기수마다 개설되는 세미나들의 경우에는 4회씩 듣게 되었지요. 제가 이렇게 듣고 난 후에 변화된 점에 대해 말씀드리고 싶습니다. 저도 처음에는 세미나를 그냥 들었습니다. 목사님께서 가르쳐 주시는 새로운 지식에 놀라면서 제가 가진 고정관념, 잘못 알고 있었던 모든 지식들이 새로워지는 듯했습니다. 2회 째 듣고 나니 그때서야 교재 한 권을 모두 들은 느낌이었습니다. 3회 째 듣고 나니 모든 내용들이 종합되는 느낌이었고 목사님께서 말씀해 주시는 것들을 더욱 깊이 있게 받아들이게 되었습니다. 4회 째 들으니 제가 생각을 떠올리려 하지 않아도 감각적으로 나오게 됨을 느낄 수 있었지요. 이제 제가 가진 옛 지식이 새로운 지식을 앞서지 못하게 되었습니다. 목사님께서 그토록 강조하며 외치시던 가치관, 마인드의 변화가 강의를 반복해 듣고 나니 제가 힘써 노력하며 애쓰지 않아도 어느 새 제 가치관이 바뀌어 있더라는 것이지요.

저도 김재선 목사님께서 「특수부대식 기도특공훈련 무료세미나」에서 2년을 한 번 해 보시라며 외쳤던 말씀을 들을 때만 해도 제가 이렇게 계속 강의를 듣고 기도를 하게 되리라고는 상상조차 못했었습니다. 그런데 하나님의 인도하심으로 강의를 2년동안 계속 듣고 기도 훈련 받으며 이제 시간이 2년여 흐르고 보니 제가 크게 성장해 있음을 확실히 느낄 수 있었습니다. 2년 해야 감각을 익힐 수 있다고 하면 언제 해낼 수 있을까 싶기도 하지만, 개인마다 열심히 하면 더 빨리 감각을 이뤄낼 수 있는 것도 전 볼 수 있었습니다.

제가 〈성령사역연수원〉에서 세미나를 들으며 보냈던 시간은 영의 세계의 지식을 갖추는 시간들이었습니다. 그래서 지금은 문제를 접하게 되면 원인을 찾아내는 시간이 단축되었음을 느낍니다. 예전에 원인을 찾으려 작정기도, 금식기도 했던 것이 더 이상 필요치 않게 됩니다. 이와 더불어 「특수부대식 기도훈련 전문반」을 통해 능력기도를 훈련하게 되면 전보다 강해진 영권으로 기도할 수 있어 문제를 처리할 수 있는 시간이 더욱 단축되는 효과가 있게 됩니다.

또한 2년이 되니 자신감, 배짱, 담대함이 커졌습니다. 이것이 바로 영권이 강해진 현상이었습니다.

성령사역연수원의 모든 세미나들은 서로 유기적인 관계가 있기에 어느 것 하나도 빠뜨릴 수 없습니다. 이 세미나는 기도나 말씀에 관련된 것이 아닌 것 같고, 생소한 이름이라 별로일 것 같고, 내가 잘 아는 분야라서 안 들어도 되고, 은사에 관련된 것이라서 안 되고... 등의 편협한 잣대를 세울 필요가 없다는 것입니다. 개설되는 모든 세미나를 계속 들어보면 모두 기도와 말씀으로 연결되어 있습니다.

끝으로 소중한 분과의 만남의 축복을 주신 하나님께 감사드리며 저는 김재선 목사님을 통해 하나님의 크신 능력을 보게 됩니다. 하나님께서 김재선 목사님에게 이토록 여러 분야를 정통하도록 훈련하셔서 앞으로 다가오는 시대를 대비할 수 있는 사역자들을 훈련시킬 수 있게 하신 그 섬세한 계획과 준비하심에 놀라움을 금할 수 없습니다.

저는 지난 2년 동안 집중적으로 강도 높은 훈련을 성실하게 받았습니다. 앞으로도 제가 계속 하나님께서 원하시는 모습으로 변화하길 소망하며 지금까지 인도해 주신 하나님께 영광 돌리며 감사드립니다.

치유 세미나

† 치유 능력 세미나

† 대물림의 고통을 끊는 세미나

† 근성치유 세미나

† 상처치유 세미나

† 희한한 능력 세미나

† 금식기도 및 건강회복 세미나

자궁암이 고쳐지다니!

안 혜 숙 전도사
(3기 성령의 능력교회)

🌼 사람마다 겪는 질병과 고통은 그 상황이야 각각 다르겠지만 고통 가운데 처한 당사자의 아픔은 모두 힘겹고 무겁습니다. 남의 이야기로만 여겨졌던 암 선고를 받고 자칫 좌절과 낙망 속에 살아갈 수도 있었던 저의 생애가 하나님의 은혜로, 특별히 〈성령사역연수원〉에서 진행된 「치유능력 세미나」를 통해 치유함을 받고 이렇게 힘 있고 건강하게 하늘나라의 소망을 바라보며 살아갈 수 있게 되었습니다. 할렐루야!

결혼 후 예수님을 영접하고 나서 넘치는 감격과 감사함에 아이를 들춰 업고 다니면서 예배와 기도와 전도의 생활에 힘썼습니다. 시간이 지나 사역자의 길에까지 들어서게 되면서 더욱 크고 깊으신 하나님의 은혜를 체험하면서 지내게 되었습니다.

지난 2007년, 목사님 한 분과 같이 교회를 개척하여 주님의 일을 감당하게 되었습니다. 그러면서 시간을 내어 지속적으로 기도 훈련과 사역에 관한 훈련들을 받았습니다. 그러던 중 2008년 평소 알고 지내던 어느 장로님으로부터 〈성령사역연수원〉을 소개 받게 되었습니다. 허리에 가죽 벨트를 매고 특수부대식으로 기도 훈련을 시키는 곳이라고 하였습니다.

참 신기하다는 생각도 들고 은혜가 있는 곳이라면 참석하기를 사모했던 성격 때문에 소개하신 장로님과 함께 연수원에서 진행되는 「특수부대식 기도특공훈련 무료세미나」에 참석을 하여 참으로 많은 은혜를 받았으며 이곳에서 훈련을 받을 만한 가치가 있는 곳이구나 하는 생각이 들었고 제 마음에 신뢰를 갖기에 충분했습니다. 특히 가장 사모하며 참석했던 것은 매주 목요일 4개월 동안 진행되는 「특수부대식 기도훈련 전문반」이었습니다. 영혼을 깨우는 귀한 말씀과 함께 4시간 이상의 강력한 능력기도를 통해 영력이 쌓여 가고 있음을 제 자신이 알고 주위 분들이 느낄 수 있게 되었습니다. 영력이 쌓여 가는 강력한 능력기도 훈련 중에도 많은 영적 부분들을 체험하게 되었습니다.

그로부터 얼마 지나지 않은 2009년 3월경, 그 무렵에 건강 검진을 한번 받아 보고 싶은 마음이 있었는데 마침 건강보험공단에서 무료 검진을 받아 볼 수 있는 기회가 생겨 병원을 찾았습니다. 진단 결과가 나온 후 의사 선생님께서 자궁에 문제가 있어 보이니 큰 병원에서 재검사를 받아 보라고 하여 순천향 병원에서 검사를 해 보았습니다. 의심스러웠던 첫 번째 결과와 동일하게 자궁에서 암이 발견되었습니다.

재차 또 다른 병원에서 검진을 해 보려고 성모병원을 찾았으나 역시 같은 결과였습니다. 암이 발견되었다는 사실이 충격이었으나 이보다 더욱 놀라운 것은 암이 확정이 되었는데도 제 마음

가운데 신기할 만큼 평안과 감사가 밀려왔다는 것입니다. 기도 훈련을 받으며 큰 은혜 가운데 영적으로 충만해 있었던 때여서 이 일 또한 하나님께서 해결해 주시리라는 믿음이 생겼고 걱정과 염려는 제 마음에 자리 잡지 못했습니다. 물론 가족들에게도 이 소식을 알렸고, 소식을 들은 가족들은 모두 놀라며, 제가 낙심할까 염려해 주면서 많은 격려를 보내며 보살펴 주었습니다. 하지만 당사자인 저는 평안한 마음을 가질 수 있었습니다. 이것은 하나님께서 주신 은혜와 평강이라고 밖에는 설명할 수 없습니다.

진단 결과를 가지고 〈성령사역연수원〉 원장이신 김재선 목사님께 상담을 드렸습니다. 목사님께서는 기도하자고 하시며 간절히 기도를 해주셨고 기도 후 걱정하지 말라고 하시면서, 별것 아니라고 말씀해 주셨습니다. 그런데 신기하게도 그 말씀이 믿어지면서 제 심령에 새겨지는 것 같은 느낌이 들었습니다. 그 후에도 목사님께 몇 차례 기도를 받으며 제 자신의 믿음으로 극복해 보고자 낙심치 않고 기도하면서 암과의 대결이 시작되었습니다.
그리고 강한 확신이 있었기 때문에 암 진단을 받고 난 후 저는 다시 병원을 가지 않았습니다. 세미나 참석에 집중하며 하나님 앞에 기도로 승부를 걸고자 하였습니다.
그러던 중 「치유능력 세미나」가 시작되어 큰 기대와 간절한 믿음으로 세미나 기간 내내 힘을 다해 참석을 하였습니다. 그리고 세미나 마지막 날 실제 치유의 사역을 보여 주는 시간이 되었습니다.

〈성령사역연수원〉에서 진행되는 세미나의 특징은 이론으로만 머무는 것이 아니라 실제로 그것이 현상적으로 나타나도록 실기를 통해 보여 준다는 것이었습니다.

「치유능력 세미나」에서도 기도를 받고자 하는 분들을 안수를 통해 세심하게 기도를 해 주시며 고통과 질병의 원인을 진단하시고 처방도 해 주셨습니다.

평소에는 안수기도를 신중히 행하시는 목사님이시지만 인도하시는 세미나의 특성에 맞게, 성령의 인도하심을 따라 다양하게 이끌어 가시는 모습을 볼 수 있었습니다. 치유사역의 실제를 보여 주시는 그 시간에 목사님께서는 아픈 사람이 있으면 나와서 기도를 받으라고 말씀하셨습니다. 그런데 아무도 나가지 않았습니다. 그때 저는 속으로 만약 다시 한 번만 더 말씀하시면 앞으로 나가리라 생각하며 떨리는 마음으로 기다리던 그 몇 초간의 시간에 놀랍게도 목사님께서 제 이름을 호명하시며 앞으로 나오라고 하셨습니다.

하나님께서는 제 믿음과 간절함으로 품은 생각보다 더 넘치게 응답하신 것입니다. 깜짝 놀라 강단으로 나갔습니다. 목사님께서는 기도를 통해 진단을 해 주시며 저를 병들게 하여 죽이려고 따라다니는 악한 영이 있다고 하셨고 예수 그리스도의 이름으로 기도하시며 악한 영들을 다 물리쳐 주셨습니다. 목사님께서 악한 영들을 명하실 때 제 안에서 무엇인가 쿵 하는 묵직한 느낌이 들면서 온 몸에 힘이 들어가 굳어지는 것을 느꼈습니다. 목사님이 다시 예수 이름으로 명령하시자 굳었던 몸이 풀어졌고 평강이 제 안에 임하였습니다.

그 후 목사님께서 내 손을 잡아 일으켜 세우셨고 그동안 괴롭혔던 것들이 다 떠났다고 선포해 주셨습니다. 할렐루야!

그동안 많은 곳에서 말씀과 기도의 훈련을 받았고 그때마다 하나님께서 부어 주시는 큰 은혜가 있었습니다. 나의 믿음과 성격과 필요를 아시는 하나님께서 그때그때 내게 필요한 곳으로 나를 이끄신 것이었고, 이제는 〈성령사역연수원〉을 만나게 해 주셔서 이전에 발견하지 못했던 또 다른 깊은 은혜와 성령의 역사를 체험하게 해 주셨습니다.

또한 「금식기도 및 건강회복세미나」를 참석하게 되었을 때, 세미나에서는 3일간 금식을 진행하게 되는데 저는 40일간 야채·주스 금식을 하고자 하는 감동이 강하게 왔고 계속 이어서 목사님의 기도를 받으며 40일간의 야채·주스 금식을 무사히 마쳤습니다.

몸은 더할 나위 없이 가벼워졌고 컨디션이 매우 좋았습니다. 금식 기간 중에 주스와 야채, 과일을 먹으니 하나도 힘이 들지 않았습니다. 온몸의 독소가 제거되었음을 느낄 수 있었습니다. 인천에서 서울까지 왕복 4시간이 걸리는 먼 거리를 힘들지 않게 왕래하며 각종 훈련에 참석했고 장시간의 기도 훈련에도 어려움과 피곤함 없이 도리어 은혜를 받으면서 참석을 했고 목사님께서 인도하시는 먼 거리의 지방 부흥회까지 사모하는 마음으로 참석하게 되었습니다. 그러던 중 어느 지방 부흥회에서 저는 강한 성령의 감동을 받아 더욱 철저하게 훈련을 받고 준비해야 함을 깨닫고 김재선 목사님과 상담한 후에 사역하던 교회 건물을 하나님께 드리고 목사님께 알아서 사용하시라고 말씀 드린 후 온 가족이 〈성령의 능력교회〉에 등록하여 큰 은혜 가운데 신앙생활을 하고 있습니다.

가족들은 저의 결심을 처음에는 잘 이해해 주지 못했습니다. 딸들도 교회가 너무 멀었기에 불편함을 감수하면서까지 이렇게 멀리 다녀야 하느냐며 따지기도 하였습니다.

그래서 3개월만 출석해 보자고 하고 〈성령의 능력교회〉에 오게 되었는데 이제는 저보다도 더 큰 은혜를 받으며 신앙생활을 잘 하고 있습니다.

치유의 역사는 저뿐만 아니라 막내딸에게도 임하였습니다. 40일 주스 금식기도를 하던 기간 중에 막내딸이 입원을 하였습니다. 그전에 이미 A형 간염으로 입원 치료를 받다가 완치되어 퇴원했으나 한 달 만에 다시 병원에 가게 된 것입니다. 검사를 해 보니 바이러스 균의 침투로 간에서부터 자궁까지 물처럼 보이는 이물질이 차서 몸을 움직일 때마다 몸 안에서 이동을 한다는 것이었습니다.

의사 선생님께선 만약 폐까지 이물질이 차게 되면 생명까지 위험해질 수 있다고 하셨고, 주사기로도 빼내기가 힘든 상황이어서 수술로 빨리 제거해야 한다고 하셨습니다. 또한 그 이물질이 체내에 흡수되어 버리면 임신이 불가능해질 수도 있다고 하시며 위급한 상태임을 알려주었습니다. 제 자신의 암 선고만으로도 큰 일인데 막내까지 병이 생긴 것입니다.

금요일 저녁에 목사님께 전화를 드려 상황을 알려 드렸고 목사님은 전화로 딸을 위해 간절히 기도해 주셨습니다. 막내딸은 입원 중 외출이 안 되는데도 불구하고 주일이 되자 환자복을 입은 채로 병원에서 몰래 빠져나와 주일예배를 참석하였습니다. 저는 제가 암 선고를 받았을 때 보다 더 간절한 마음으로 눈물로 딸을 위해 기도하였습니다. 예배 후 딸은 다시 병원으로 돌아갔습니다. 지금 생각하면 의사의 다급한 지시를 듣고도 어떻게 그렇게 태연하게 주일예배를 드리러 나올 수 있었는지 아무리 생각해도 신기할 정도입니다.

하나님께서 마음에 담대함과 믿음을 주신 것이었습니다. 그 다음날 의사 선생님이 병실에 오셔서 초음파 사진을 다시 찍어 상태를 확인하고 바로 수술에 들어가자고 하셨지만 저와 막내 딸은 수술을 받지 않고 기도로 고치겠다고 하자 의사는 얼마나 위급한 상태인지 사태 파악이 안 되느냐며 심하게 나무라는 것이었습니다. 보호자인 저를 아예 병실에서 내보냈습니다. 그리고 일단 초음파 검사를 강행했습니다.

그런데 놀랍게도 초음파 사진 결과를 보니 심각한 수준까지 차 있던 몸속의 이물질이 현격하게 줄어 있었습니다. 의사는 고개를 갸우뚱거리며 어떻게 줄어들었는지 이해할 수 없다고 하였습니다. 하나님께서 치유해 주신 것입니다.

하나님의 치유하심을 확신한 저와 딸은 더 이상 병원에 있을 필요가 없다고 생각하고 퇴원하겠다고 하자 의사 선생님께서는 일주일분 약을 줄테니 먹은 후에 다시 초음파 검사를 해보자고 하셨습니다. 집으로 돌아온 후 약은 하루치만 복용했고 일주일 후 초음파 검사에서 이물질이 완전히 없어진 것을 확인하였습니다. 수술을 했다면 수술 후 2주간 입원하고 약도 한 달 동안 복용했어야 했는데 하나님께서 깨끗하게 치유해 주신 것입니다. 할렐루야!

이 글을 보시는 모든 분들께 〈성령사역연수원〉에서의 세미나들을 참석해 보시라 강력히 추천해 드리며 무엇보다 「치유능력 세미나」를 참석하여 우리 영혼 깊이 숨어 있는 고통과 저주의 원인을 찾아내어 예수 그리스도의 이름으로 뽑아 버림으로 저와 같이 영육 간의 건강과 기쁨과 행복을 누리게 되기를 간절한 마음으로 권해 드립니다. 표현력이 부족하여 현장에서 경험했던 뜨거운 감동과 은혜를 전하는데 너무나 부족함이 있음을 고백합니다. 하나님께 모든 영광을 돌립니다.

'대상포진'의 고통에서 벗어나다

강 은 희 집사
(4기 성령의 능력교회)

여러 가지 문제로 기도가 절실하고 간절한 상황이었습니다.

영적으로 너무 혼란스러웠고 가정적인 여러 문제로 감당하기 힘든 어려운 시기였습니다. 그럼에도 기도가 잘 되지 않아서 답답하던 그때에 주님의 인도하심으로 2009년 2월 「특수부대식 기도특공훈련 세미나」에 참석하게 되었습니다. 기도를 가르쳐 주시고 기도를 배운다는 것이 생소하기도 하였지만 급박한 상황인데다가 기도가 되지 않아서 더 힘들던 저로서는 놀랍고 감사할 따름이었습니다.

저는 아주 어릴 때부터 병약하였는데, 10여년 전 부터 '대상포진'이라는 고질적인 질병에 매여 살고 있었습니다. '대상포진'은 치료를 해서 완치되는 질병이 아니라 자기 몸의 면역 기능이 약해지면 언제든지 나타나는 질병이라 항상 몸을 조심하며 살아야만 했습니다. 외출도 삼가고 집안 일도 몸에 무리가 가지 않도록 최소한으로 행동반경을 줄이며 생활을 하였습니다. 그래서 저를 아는 모든 사람들에게 저는 항상 병약한 사람이라고 인식되어 늘 안타까운 동정을 받으며 살고 있었습니다. 잠시의 외출도 조심스러운 몸인데 안양에서 서울까지 가서 세미나를 받고 오겠다고 하니까 남편 집사님이 걱정을 많이 했습니다.

저 자신도 염려스럽기는 하였지만 상황이 집안에만 편안하게 있을 수 없는 때였기에 결단하는 각오를 하지 않을 수 없었습니다.

「특수부대식 기도특공훈련 세미나」 첫째 날 강의가 시작되고 기도의 세계에 대한 말씀을 들으면서 그동안 기도의 세계에 너무 무지했던 내 자신에 놀라고 성경에 기도의 세계가 이렇게 다양하게 기록되어 있는 것에 대해 놀라움을 금할 수가 없었습니다.

그렇게 놀라움 속에서 말씀을 듣고 있던 어느 순간, 그동안 영적으로 무지하고 연약함에서 오는 두려움과 여러 가지 문제로 인해 제게 엄습했던 염려가 순간적으로 싹 사라져 버렸음을 알게 되었습니다.

그와 동시에 "이제 나는 살았다!" "나는 이제 살았다!"라는 생각이 마음 깊은 곳에서부터 솟아나는 것이었습니다. 숨을 깊이 들이 마시고 움츠렸던 가슴이 쫙 펴졌습니다. 몸에 알 수 없는 힘이 생기고 눈에 생기가 돌고 기쁨으로 가슴이 뛰기 시작했습니다. 그리고 제 마음속에 오늘부터 나는 세미나를 받는 것에 열심을 다해야겠다는 한 가지 생각만으로 가득하였습니다.

어려운 가운데서도 주님의 은혜로 「특수부대식 기도훈련 전문반」과 「성경 파노라마 전문반」까지 받게 되었습니다. 주님께서 그 능력과 사랑과 은혜로 저를 이끌어 주셨고 남편 집사님의 전적인 도움으로 세미나를 듣는데 전념할 수 있었습니다.
은 「성경 파노라마 기본반 세미나」를 반드시 들어야만 참석할 수 있기 때문에 월요일과 화요일 이틀 동안 저녁 시간에 특강으로 기본반 세미나를 해 주시기로 하셨습니다.

월요일 낮에 「성경 파노라마 전문반」 강의를 듣고 저녁 식사도 연수원에서 제공해 주셔서 맛있게 먹었습니다. 7시30분부터 세미나가 시작되었는데 십분 쯤 지나서 갑자기 배가 아프기 시작하였습니다. 피곤하면 배가 아프던 일이 자주 있는 일이어서 몸이 무리가 되나보다 하고 생각하였습니다. 그런데 피곤해서 아픈 배가 아니고 뒤틀리고 진땀이 날 정도로 참을 수 없는 통증이었습니다. 혹시나 해서 화장실에 갔는데 배탈이었습니다. 화장실에 서너 번 왔다 갔다 하다가 안 되겠다 싶어서 먼저 집으로 돌아왔습니다. 단잠을 자고 난 다음 날 아침에 속은 편안해졌지만 혹시나 염려스러워 아무것도 먹지 못하고 연수원으로 달려왔습니다.

오전 시간 강의를 마치고 점심을 조심스럽게 조금 먹었고 오후 시간 내내 아무 일 없이 강의를 잘 받았습니다. 낮 동안 별 일 없이 속 편하게 잘 지냈기에 안심하고 연수원에서 주시는 저녁을 맛있게 먹었습니다. 그런데 식사를 다 마치고 나니까 오늘 저녁 강의 시간에는 괜찮을까 하는 염려가 살짝 들었습니다. 강의가 시작되었는데 그동안 편안하던 배가 어제처럼 아프기 시작하였습니다. 역시 배탈이었습니다. 저녁 시간에 특강으로 해주신 「성경 파노라마 기본반 세미나」는 창세 이전의 영의 세계에 대한 강의 시간이었습니다. 그날 저녁 세미나도 제대로 받지 못하고 집으로 돌아가면서 이런저런 생각을 하게 되었습니다. 이것은 배탈이 아닐 수도 있고 영적 세계에서 일어난 일이 이런 현상으로 나타난 것일 수도 있다는 생각이 들었습니다. 우리가 모르는 악한 어둠의 세력이 우리 육체를 사로잡고 있어 몸에서 빠져나갈 때에 여러 가지 현상으로 나타난다고 하는데 이 배탈도 그 현상의 하나일 수 있다는 것을 얼마 후에야 확실히 알게 되었습니다.

그렇다면 이런 현상을 보이면서 빠져나간 악한 영의 실체는 무엇일까? 이런저런 생각을 하면서 집에 온 그날 밤 남편 집사님이 갑자기 생각났다는 듯이 물었습니다. "여보! 당신 괜찮아? 대상포진 안 났어?" 아무렇지도 않다는 제 모습을 보고 눈이 휘둥그레지면서 매우 놀라는 눈치였습니다.

그동안 저를 집안에만, 침대에만 꽁꽁 묶어 놓아 무기력하고 무능력하게 살아가도록 저의 육체를 묶고 있던 악한 어둠의 영이 그렇게 빠져 나간 것이었습니다.

오랜 세월동안 육체를 사로잡고 있던 병약함의 실체가 영적으로 악한 영의 세력이었다는 것에 더욱 놀라웠습니다.

그러니까 「기도훈련 전문반」을 통하여 기도의 영의 세계를 알게 되면서 능력기도로 영권을 쌓기 시작했고 「성경 파노라마 전문반」에서 말씀의 영의 세계가 이해되면서 하나님이 함께 하신다는 확신이 들어왔으며 그 이후 있었던 「치유능력 세미나」에서 병에 걸리는 이유, 병이 왜 고쳐지지 않는가, 병고침 받는 자에게 나타나는 현상, 어떤 현상으로 치유가 되는가 등의 내용을 들으면서 일련의 모든 세미나의 과정들이 복합적으로 상호 협력관계가 이루어지면서 저의 고질병이었던 '대상포진'이 확실하게 치유되었음을 다시 확인할 수 있게 된 것입니다.

세미나를 받는 시간 시간마다 저의 죄와 허물이 보이고 애통하는 회개와 간구의 기도를 드리면서 몸과 마음이 빠르게 회복되어 가고 영적 지식이 들어오는 것만큼 기쁨과 감사함으로 어두웠던 얼굴이 환해져 갔습니다. 그렇게 주님께서 주님의 권세와 능력과 은혜로 저의 심령과 육체를 날마다 세워 주시기 시작하였습니다.

처음 기도세미나를 시작한 2009년 2월 첫주부터 1년 반이 다 되어가는 지금까지 '대상포진' 때문에 자리에 누워본 적이 없을 뿐더러, 〈성령사역연수원〉의 봉사자로 거의 매일 연수원에 나와 봉사하고 있어도 아무 이상을 느끼지 못할 정도로 건강이 좋아졌습니다.

저희 자녀들에게도 엄마가 늘 아파서 많은 시간을 누워 있어야 했기 때문에 식사 준비를 제 때에 해 주지 못해 엄마 역할을 제대로 못해 준 것들이 못내 미안했었는데 회복되고 치유된 엄마의 건강상태를 보면서 하나님께서 하신 일에 대해 놀라 말 못하면서도 싱글벙글 좋아하는 자녀들의 모습이 얼마나 생기 있어 보이는지 모릅니다.

더욱이 놀라운 것은 제 곁에서 늘 걱정하고 염려하는 눈빛으로 저를 바라보며 늘 안쓰러워하던 남편 집사님이 건설회사를 막 시작하여 시간을 낼 수 없는 바쁜 상황임에도 불구하고 〈성령사역연수원〉을 통하여 저와 함께 하신 하나님의 능력을 믿고 「기도훈련 전문반」 5기로 등록하여 매주 목요일은 어김없이 연수원에서 저와 나란히 앉아 기도하는 사람으로 변화가 되었다는 사실입니다.

병약한 저를 〈성령사역연수원〉으로 인도하시고 병도 고쳐 주시고 각종 세미나를 통하여 영의 세계를 열어 가면서 신앙이 성장할 수 있도록 지도해 주신 김재선 목사님께 뜨거운 감사를 드리며 모든 영광 하나님께 돌립니다.

은사에 대한 무지함이 사람 잡아요

이 영 숙 권사

(6기 평안교회/서울)

🌸 이렇게 간증할 수 있는 기회를 허락하신 하나님께 먼저 감사와 영광을 올려 드립니다. 저는 교회 권사로 있으면서 다양한 직분을 맡아 성실하게 섬겨 왔으며 또한 하나님을 알고 성경에 대한 지식도 넓혀 가기 위해 성경공부, 제자훈련 등 할 수 있는 것은 거의 다 해 보았을 정도로 교회 생활에 열심을 내는 사람이었습니다. 그럼에도 불구하고 오랫동안 신앙생활을 하면서 말씀에 대한 많은 의문과 신앙생활 속에서 풀리지 않는 문제들을 안고 살아야만 했습니다.

실제로 지금까지의 제 삶을 돌이켜보면 하나님을 믿는 그 믿음과 하나님의 사랑이 저를 지탱해 주었다고 말할 수 있을 만큼 많은 환란과 고통을 겪었습니다. 기도와 봉사를 앞장서서 열심히 해 왔지만 그럴수록 신앙과 인생의 문제가 해결되기는 커녕 어려움만 더 커져 갔습니다.

한 때는 사업을 해서 많은 돈을 벌기도 했지만 마지막에는 번 돈보다 손해 보는 돈이 더 많았고, 부채를 갚기 위해 안면 몰수하고 아기 돌보미 등 같은 일거리를 찾아다닐 정도로 경제적 어려움이 심각한 수준에까지 이르렀습니다.

내 삶의 모습이 '이게 아닌데 왜 이럴까? 하나님의 자녀이면 자녀로써 복을 누리면서 살아야 하는데, 왜 이렇게 쫓기듯 살아야 하는가?' 고민하면서 유명한 목사님이나 예언의 은사를 행하는 목사님께 상담과 기도를 받아 보기도 했습니다. 하지만 기도를 하고 봉사를 할수록 문제가 풀리기는 고사하고 사방이 더 막혀만 갔습니다. 하늘로 올라 갈 수도, 땅으로 꺼질 수도 없이 몸과 마음이 지쳐 갔습니다. 기쁨도 없고 몸과 마음이 모두 소리 없이 병들어 가고 있던 그때, 중국에서 사역하는 선교사님의 소개로 〈성령사역연수원〉을 알게 되었습니다. 사실 소개를 받고도 몇 달간은 가지 않았습니다. 이번에도 일시적인 위로에만 그치지 않을까 하는 우려가 있었기 때문이었습니다. 그러다가 우연히 무료 세미나가 있다는 이야기를 듣게 되었고 '속는 셈치고 한번 들어나 보자' 하는 마음으로 참석했던 「특수부대식 기도 특공훈련 세미나」가 제 삶을 이렇게 변화시키게 되는 기회가 될 줄 누가 알았겠습니까?

〈성령사역연수원〉에서 행하는 여러 가지 세미나를 체계적으로 공부하면서 제가 안고 있는 문제들이 세미나 강의와 기도 훈련을 통해 문제가 깨달아지고 그로 인해 응답받는 체험을 하게 되었습니다.
그 사례를 하나 소개하고자 합니다.

하나님의 자녀들은 하나님께서 부어 주시는 은혜 외에 특별하게 각자에게 주어지는 은사들이 있다고 봅니다. 그것들이 잘 개발되고 훈련되면 더할 나위 없이 하나님께 영광이요 주의 이름이 나타나는 일이겠지만 나에게 주어진 은사가 무엇이며 나에게 주어진 은사를 어떻게 다듬고 훈련받아 정금같이 쓰임 받을 것인가도 모르는 이들이 많은 것 같습니다.

저도 동일한 인물 중에 한 사람이었기에 감히 이 자리를 빌어 나의 무지함과 어리석음을 통해 같이 공감하고 이 글을 읽는 사람들은 이러한 시행착오를 겪지 않기를 바라는 마음으로 이 글을 쓰게 되었습니다.

저는 남아 선호 사상이 유독 강한 집에서 태어나 많은 사랑도 받지 못하고 자랐습니다. 그렇기에 본능적으로 생존 의식이 강하여 어떻게든 살고 보자는 식의 제 마음이 강한 모습으로 굳혀져 가기 시작했고 나도 모르게 성격 또한 그렇게 형성되어 가고 있었습니다.

그간 저는 삶의 모든 것이라 일컬어지는 사람, 물질, 환경, 질병을 통해 혹독하리만큼 훈련 아닌 훈련을 받았습니다. 지금에야 훈련이라 말하지만 그 땐 지옥과 같은 고생이었다고 해야 맞을 것입니다. 그것이 하나님께서 저를 이끌어 주시는 과정이고 통로였건만 이를 통해 저의 모난 부분들을 깎으시고 다듬으시며 하나님의 사람으로 만드시는 과정인 것을 몰랐던 거지요.

지금은 연수원의 세미나 중 「대물림의 고통을 끊는 세미나」 와 특별히 「상처치유 세미나」를 통하여 많은 부분의 치유와 회복을 거듭하면서 성화되어 가고 있기에 감사하지 않을 수 없습니다.

예전의 제 몸은 허리디스크, 알레르기, 비염, 당뇨, 백내장, 위장병 등 병명을 열거할 수 없을 정도로 '움직이는 종합병원'이었습니다. 이런 저에게 주님은 찾아오셔서 주님을 알게 하시고, 구원하시며 자녀 삼아 주심으로 영과 육을 치료해 주셨기에 이렇게 간증을 할 수 있게 된 것입니다.

저를 치료하신 하나님은 저에게 '치유의 은사'를 주셨습니다. 영의 눈이 열리고 보니 "아! 이 사람은 목 디스크구나, 아! 이 사람은 음란 귀신이 들렸구나, 아이고~ 저 사람은 자궁암이네" 이렇게 알아지는 것이었습니다.

나중에 연수원에서 「예언은사 세미나」를 받으며 은사 부분 중에 '알아지는 은사'가 있다는 것도 알게 되었습니다.

"아니 이런 걸 하나님이 왜 나에게 알려 주시는 거지?" 하며 한편으로는 떨리고 한편으로는 좋아서 이 사람 저 사람 닥치는 대로 막 기도해 주기 시작했습니다. 또 주위 사람들이 소문을 듣고 와서 저에게 기도를 부탁하기도 했습니다.

어느 정도의 시일이 지나자 저에게 영적 교만이 서서히 들어오더니 사람을 골라서 기도해 주고 있는 겁니다. 한 번은 귀신, 사단에게 붙잡혀 자신의 일을 하지 못하는 어떤 집사님을 위해 기도하게 되었습니다. 그런데 얼마나 제가 시달렸던지 초죽음이 되어 자리에 눕고 말았는데 음란 마귀가 저에게 들어와서 제가 저의 남편에게 음란한 행동을 하며 음란하게 말하는 겁니다. 그로 인해 며칠 동안 사경을 헤매는 지경에까지 이르러 겨우 정신을 차리게 되면서 치유 사역을 점점 멀리하게 되었지요.

지금 생각하면 얼마나 무지하고 어리석은 일인지 연수원에서 훈련 받으면서 이론과 실기를 통해 왜 이런 현상이 일어나고 나타나는지를 알게 되었습니다. 아무리 은사가 있어도 영권이 없으면 이렇게 사단에게 까불림 당하는구나 하고 영권을 쌓기 위해 지금은 부단하게 기도 훈련에 임하고 있습니다.

하나님은 좋은 것으로 자녀에게 주시기를 원하십니다. 한 가지 은사를 받고 다 된 것처럼 펄쩍펄쩍 뛰면서 좋아하는 것은 아주 어린 신앙인이지요. 한 쪽으로 치우치면 반드시 그것으로 인해 부작용이 따르기 마련입니다. 말씀과 기도와 은사 부분이 고루 갖춰져야 온전한 신앙인으로 성숙해져 간다고 봅니다.

이렇게 성숙하지 못한 신앙인의 모습으로 신유 은사를 통한 치유 사역에 많은 문제를 안고 있는 터에 때마침 연수원에서 「치유능력 세미나」를 하게 되어 깊은 관심을 가지고 참석하게 되었습니다.

그동안 은사에 대한 이론적인 정립이 제대로 되어 있지 않아 기도하다가 은사를 체험하게 되면 분별력 없이 사용하곤 하였는데 이 세미나에 와서 병에 걸리는 이유, 병의 종류, 유형, 병 고치는 방법, 질병을 진단하는 방법, 치유 사역의 유형, 신유 사역자가 갖추어야 할 자세, 치유 기도의 방법, 치유 기도의 실기 등의 체계화되어 있는 내용을 들으면서 은사의 세계에 대한 무지함을 다시 한번 깨달으며 앞으로는 신중하게 대처해야겠다는 다짐을 새롭게 하는 계기가 되었습니다.

예수 그리스도께서 하신 일이 생명을 살리는 일이었던 것처럼 사람을 살리고 영혼을 살리는 일들이 〈성령사역연수원〉에서 일어나고 있었습니다. 이 귀한 말씀들을 혼자 듣기에는 너무 아까워서 주위 분들에게 소개하기도 했습니다.

그들에게 제가 체험한 일들을 간증할 때 몇몇은 자기들도 가고 싶다고 접수해 달라고 부탁하기도 했습니다. 물론 이 모든 일들을 행하신 분은 전능하신 하나님이십니다.

김재선 목사님은 사람의 비위를 맞추지 않는 분이십니다. 오히려 하나님 한 분께 초점을 맞추고 기도하시면서 응답 받으신 대로 말씀을 전하시는 분이십니다. 그렇게 하나님 중심으로 목회를 하신다는 것이 무엇보다 마음에 들었습니다.

영적으로 잠들어 있고 무지했던 저를 깨우쳐 주신 김재선 목사님과 찬양을 인도하시며 은혜를 끼쳐 주시는 유미경 사모님, 그리고 숨은 자리에서 사랑으로 섬기시는 봉사자 분들 너무나 감사합니다. 또 사랑합니다.

앞으로 더 좋은 터에 성전이 세워져 저처럼 초라하고 갈급한 심령들이 도전과 변화를 받고, 새 힘을 얻어 하나님의 뜻을 성취하며 기도의 지경이 확장되기를 기대합니다. 샬롬!

10대에 걸친 대물림을 끊다

김 영 만 목사
(2기 혜본교회/김포)

어떻게 하면 하나님을 잘 섬길 수 있을까? 하고 고민하지 않는 사역자는 없을 줄로 압니다. 목회의 사역을 잘 감당하고 싶었지만 늘 뒤따라 다니는 고통의 문제 속에서 '왜 나는 이렇게 고통스러울까?'하는 많은 생각으로 방황하다가 이대로는 안 되겠다 싶어 해법을 찾기 시작한 저에게 〈성령사역 연수원〉이란 아주 소중한 공동체를 알게 하셨습니다.

국민일보 광고를 보고 처음 찾은 연수원에 발을 디디며 현관을 들어서는 순간 벽면에 빼곡하게 써 있는 세미나 프로그램 안내를 보며 참 특이한 곳이라는 생각이 들었습니다.

매주 월요일마다 제가 참석하는 세미나가 있어서 「특수부대식 기도특공훈련 세미가」 있는 그날도 늦은 시간인 4시30분경에 연수원에 도착하니 김재선 목사님께서 말씀을 전하고 계셨습니다. 생각보다 훨씬 많은 사람들이 모여 있었고 처음 온 저는 비좁은 자리를 헤집고 앉아 남은 시간 겨우 말씀을 들을 수 있었습니다. 내일 또 다시 와 보아야 하겠다는 생각이 들어서 돌아오는 길에 아내와 저는 "이곳 연수원이 좀 특이한 곳 같다. 뭔가 있을 것 같은 생각이 든다." 는 내용의 대화를 나누며 두 차례나 있었던 무료 세미나에 계속 참석을 하였습니다.

세미나를 마치고 궁금한 점이 있어서 원장이신 김재선 목사님께 상담을 요청했습니다. 여러 가지 궁금한 것도 물어보고, 특히 "저는 나이도 있고 몸도 약해서 이런 훈련을 받을 수 있습니까?" 라고 말하자 김재선 목사님은 "예, 누구나 다 할 수 있습니다. 영적 방해만 극복하면 할 수 있으며, 이 영의 세계를 이해하고 감각을 습득하려면 2년 정도 시간을 투자해야 됩니다." 라고 하셨는데 저는 속으로 그 기간이 너무 길다고 생각하며 집으로 돌아왔습니다.

무료 세미나가 끝난 그 주 목요일부터 「특수부대식 기도훈련 전문반」 이 시작되고 매주 각기 다른 주제를 따라서 세미나가 계속 진행되고 있었습니다. 연수원의 사역과 프로그램에 매력을 느끼게 된 저는 이때부터 그동안 다른 곳에 참석하고 있었던 모든 세미나를 취소하고 〈성령사역연수원〉에서 하는 모든 세미나에 참석하게 되었습니다. 「기도훈련 전문반」, 「꿈해석 전문반」, 매주 열리는 각종 세미나, 「테마가 있는 부흥성회」 등 하나님은 저를 사랑하셔서 열심히 훈련 받을 수 있게 하셨습니다.

특히 그 중에서도 「대물림의 고통을 끊는 세미나」는 저에게 많은 영적 문제를 해결해 주었고 자유함을 얻게 한 아주 특별한 세미나였습니다. 이 땅위에 사는 사람들 가운데 어느 누가 대물림의 고통에서 자유로울 수가 있겠습니까? 물론 이런 영의 세계를 알고 미리 대처하는 분들도 계시지만 대부분의 사람들은 이 문제를 해결하지 못한 상태에서 인생의 무거운 짐을 짊어진 채 살아가고 있는 것 같습니다.

우리가 예수 그리스도를 믿게 되면 모든 것이 해결된다고 알고 그동안 신앙생활을 해 왔습니다. 우리의 영혼은 예수 그리스도를 믿음으로 완전히 해결을 받게 되지만 우리의 육신의 문제는 계속해서 우리에게 고통을 주게 됩니다.

우리 인간은 누구나 가문을 통해 태어날 때 영적으로는 부모의 죄를 닮고 육체적으로는 부모의 유전자에 의해 외모, 성격, 행동도 닮게 됩니다. 이런 것을 "대물림"이라고 합니다. 자신의 의지와는 상관없이 대물림으로 말미암아 고통 받는 그리스도인들이 많이 있으며 저도 그러한 영향력 아래에 있었음을 알게 되었습니다. 이러한 고통 속에 있었던 제가 「대물림의 고통을 끊는 세미나」 시간을 통하여 그 고통으로부터 완전히 해방된 자유를 맛보게 되었습니다. 한마디로 저는 이 세미나를 통하여 '치유 받은 은혜의 사역자'입니다.

세 번의 세미나를 통해 대물림을 끊는 회개 기도와 축사 사역을 실기 시간에 하게 되었는데, 이렇게 많은 문제가 있는 줄은 저도 몰랐습니다. 다행히 저에게는 〈성령사역연수원〉을 통하여 열어진 환상과 투시를 통하여 대물림 과정을 볼 수 있었습니다. 첫 번의 세미나 때는 저를 포함한 온 친족의 영적 상태를 확인하고 대물림을 처리했습니다.

두 번째 세미나에서는 저의 10대에 걸친 조상에 대한 대물림을 끊는 작업을 했습니다. 그때서야 모세 선지자가 모세오경을 기록할 수 있었던 배경을 알게 되었습니다. 영의 세계는 무한한 곳까지 보고 알 수 있구나 하는 것을 체험한 것입니다.

세 번째 세미나 때에는 온 가족, 친지, 조상, 그리고 저에 대한 대물림 작업을 주님께서 하게 하셨습니다.

저는 우리 가계에 그렇게 큰 대물림의 사슬이 있는지 상상도 못했습니다. 대물림을 처리하는 과정에서 환상 중에 저의 양팔 길이로 아홉이나 되는 둘레의 큰 나무를 보았습니다. 엄청나게 큰 나뭇가지들을 빠른 속도로 베어 버리고 나서 큰 나무의 밑 뿌리를 뽑아야 하는데 엄두가 나질 않았습니다.

주님께서 저에게 악한 영들인 마귀를 정리하는 곳을 알려 주셨습니다. 화산이 폭발하기 전의 모습, 불 못이 있는데 거기 온도는 6000도라고 말씀한 곳입니다. 두 번째 세미나에서 조상의 문제를 해결할 때 저에게 주셨는데 지금도 사단과 대결하면 어김없이 불 못이 등장합니다. 돌, 쇠붙이, 용, 뱀, 호랑이, 곰, 여우 등 모든 것을 그 속에 집어 넣으면 그냥 녹아 없어지는 곳이

기도 합니다. 이번에도 모든 나뭇가지를 잘라서 불 못에 넣고, 이제 아홉 팔 길이나 되는 나무의 뿌리를 뽑긴 뽑아야 되는데 방법이 없어 보였습니다. 그런데 갑자기 저에게 지혜가 주어졌습니다. 양팔로 완전히 나무를 껴안고 손톱을 쇠갈고리처럼 콕 찍으면서 붙잡고 "나사렛 예수 그리스도 이름으로 명하노니 이 나무가 뽑힐지어다!" 하고 명령하니 나무가 뿌리까지 움직이고, 또다시 명령하니 완전히 뿌리까지 보이며 뽑혀지기 시작했습니다. 다시 한번 강하게 "예수 그리스도 이름으로 명령하노니 이 나무는 뽑힐 지어다!" 하고 명령하니 뽑기 불가능하게 여겨졌던 나무가 뽑혔고 불 못에 거꾸로 넣으니 흔적도 없이 사라졌습니다.

이 대물림의 작업이 끝나자 저는 하나님의 은혜가 너무도 감사하여 감격의 눈물을 한없이 흘렸습니다. 세미나를 통해서 이렇게 무서운 대물림의 고통이 저를 누르고 있었다는 사실을 알게 된 것에 무척이나 놀랍기도 하였고 또한 그 대물림의 고통의 문제들을 해결할 수 있었다는 것이 얼마나 고맙고 감사한지 모릅니다. 이 승리의 감격과 기쁨으로 인하여 글을 쓰는 지금 이 시간에도 너무 가슴이 벅차오름을 느낍니다.

대물림의 사슬을 끊는 방법이 있는데도 그것을 몰라서 지금도 계속 악영향을 후대에 미치고 있는 대물림의 고통으로 힘들어하는 분들이 계시다면 나의 잘못과는 전혀 관계가 없는 이 대물림의 고통 속에서 벗어나고 해결의 방법을 확실히 제시하여 그 은혜를 체험케 하는 〈성령사역연수원〉의 「대물림의 고통을 끊는 세미나」를 통하여 해결 받게 되기를 바랍니다. 대물림의 영이 제거되고 하나님께서 주신 은혜가 풍성하여 맡겨진 사명을 잘 감당할 수 있기를 소원합니다. 감사합니다.

대물림의 해결로 태의 문이 열린다

문 정 애 집사
(5기 목동제자교회/서울)

저는 지금까지 믿음으로 산다고 하면서도 무엇인가에 억눌려 왜 그렇게도 버거운 삶을 살아 왔는지 그 이유를 알 수 없었습니다. 그 많은 시간을 기도와 눈물로 보내었는데도 내 힘으로는 도저히 해결되지 않는 그 무엇이 제게는 있었습니다. 그런 저는 〈성령사역연수원〉의 커리큘럼을 통하여 끈질긴 대물림 때문에 하나님께로부터 마땅히 받아야 할 축복이 단절되고 있다는 사실을 깨닫게 되었습니다.

저는 절대로 부모님처럼 살고 싶지 않았는데 어느새 부모님의 전철을 밟아 살아가고 있는 자신을 발견하게 되었습니다. 제 힘과 의지로는 도저히 해결되지 않는 부분들 그래서 그런 모습들을 저의 삶으로 인정하고 받아들이며 자포자기하고 이것이 내 인생의 십자가인가 보다 하며 스스로 위로해 보기도 하였습니다. 세상 사람들은 이것을 팔자라고 하지만 저는 절대 인정할 수 없었습니다. 아니 인정하기 싫었습니다.

저는 중3학년 때에 교회에서 기도를 하다가 방언을 받게 되면서 부모님조차도 유별나다고 할 정도로 은혜 생활을 갈구하며 그렇게 청소년시절을 보내고 대학 재학 중, 스무 살 되던 해에 부흥집회에 참석했다가 성령의 불을 받고 얼마나 몸이 뜨거웠던지 데굴데굴 구를 정도로 강력한 성령의 역사를 체험 하였습니다. 또한 성령의 불을 받고 각종 은사가 나타나게 되어 더 기도 하였는데, 그때부터 기도할 때에나 평상시에도 악한 영들이 눈에 실제로 보이며 수시로 나타나서 기도를 방해하고 몸을 얼마나 아프고 힘들게 하는지 육신의 고통이 그렇게 시작되었습니다.

온 몸 전체가 으스러질 정도로 뼈 마디마디가 안 아픈 곳이 없었고 머리는 마치 칼로 도려내는 듯 숨을 쉬지 못할 정도였으며 때로는 송곳으로 머리를 후벼 파는 듯 죽을 것 같은 고통을 느꼈습니다.

나이가 들어 결혼하게 되면서도 여전히 그런 육신의 고통은 계속 뒤따라 다녔지만 그러면 그럴수록 저의 믿음은 더욱 견고해져만 갔습니다. 사도 바울도 받은 바 은혜가 너무 크기에 자고하지 않게 하기 위하여 몸의 가시를 주셨듯이 저에게도 그런 종류의 가시려니 하는 생각을 가지고 살아왔습니다.

그러던 어느 날, 〈성령사역연수원〉의 「특수부대식 기도특공훈련 무료세미나」를 알게 되어 큰 기대를 가지고 즉시 달려왔습니다.

그러나 여전히 몸의 상태가 좋지 않아 집에서 연수원까지 한 시간여 거리를 이동하는 중에도 가끔은 중간에 내려 몸을 추스리고 다시 전철에 올라 연수원에 올 정도로 육신의 건강이 전반적으로 좋지 않은 상태에서 기도 훈련을 받기 시작하였습니다. 연수원에서 「기도훈련 전문반」을 마치고 집에 돌아가면 다음날은 대부분 병원에 들러 영양제 링거를 맞아야만 일상생활을 할 수 있을 정도였습니다.

2009년 가을에 「대물림의 고통을 끊는 세미나」에 참석하여 비로소 저는 이렇게 성령의 불을 받고서도 왜 육신의 고통이 끊임없이 뒤따라 다니는지 그 이유를 깨닫게 되었는데 불교 집안이었던 친정 아버지 조상의 대물림의 영향 때문이었다는 사실을 알게 되었습니다. 그러나 그때는 어떻게 처리해야 할지 몰라서, 아니 처리를 해야 한다는 사실조차 모른 채 그냥 넘어 갔습니다. 그로부터 몇 주 후 「16시간 집중기도훈련」에 참석하여 마지막 날 수요일 기도할 때였습니다. 눈앞에 환상이 펼쳐지는데 어느 성황당으로 보이는 곳에 큰 나무가 있었고 그 나무에 마치 무당 옷같이 울긋불긋 각양 각색의 깃발이 흔들리고 있었으며 그 나무 곁에서 시커먼 그 무엇인가가 나를 노려보고 있었습니다.
그때 그 나무에서 노란색 깃발 같은 긴 끈이 내려와 내 머리를 두세 바퀴 휘감고 있다는 사실을 발견 하였습니다. 그것은 마치 아픈 병자가 머리에 끈을 동여 맨 듯한 모습과 같은 것이었습니다. 그 모습을 보자 그동안 제 머리와 뼈마디 마디에 통증을 주었던 그 정체가 무엇인지를 확실히 알게 되었습니다. 저는 노란색은 질병을 상징하는 색이라는 사실을 알고 있었고 그것을 보는 순간 바로 처리해야 한다는 사실을 하나님이 주신 영감으로 알았습니다. 그래서 바로 옆에 놓인 창으로 노란색 끈을 갈기갈기 잘라버렸습니다. 이렇게 함으로써 20년이나 넘게 저를 괴롭혀왔던 머리와 뼈마디 마디의 통증을 제거해버릴 수 있었고 내가 언제 아팠는가 싶을 정도로 말끔히 그리고 깨끗하게 고침 받게 되었습니다. 항상 그렇게 통증에 시달리던 제가 지난 7월 「지리산 실전기도훈련」에 참석할 때에는 서울에서 지리산까지 5시간이 넘는 긴 여정임에도 불구하고 멀미약 한 병만 마시고도 건강한 몸으로 도착하여 3박4일 동안 지리산에서의 기도훈련을 은혜 중에 잘 마치고 돌아올 수 있을 정도로 놀랍게 건강이 회복되어 있었습니다. 할렐루야!

「대물림의 고통을 끊는 세미나」와 기도를 통하여 영의 세계에서 직접 보고 처리된 또 하나의 중요한 사건을 소개 하고자 합니다.

제가 평소 가깝게 지내며 서로 중보 기도를 해주는 믿음의 집사님 부부가 있습니다. 그 부부는 결혼 13년차였는데 아기를 갖지 못하여 안타까워하고 있는데 어느 날 그 집사님은 꿈을 꾸었고 저는 그 집사님의 꿈 이야기를 듣게 되었습니다.

하루는 무엇인가에 쫓겨 택시를 잡아타고 달아나려 해도 계속 한 장소에서 집사님을 내려 주었고 내려서 보면 커다란 절 앞이었으며 그 절 대문에 서 있던 비구니가 집사님의 것이라며 승복을 주었고 이 절 안에는 당신이 예전에 사용하던 방이 그대로 보존되고 있다고 말하는 꿈이었습니다.

제가 그 집사님께 물었더니 할머님께서는 굿판에서 장구를 치시는 분이었고 그 할머니 손에 이끌려 어린 시절을 보내왔다는 사실을 알게 되었습니다. 저는 그 이야기를 토대로 그 집사님의 꿈을 해석하게 되었고 그 집사님의 가정에 내려온 끊기지 않은 깊은 대물림의 영향력이 미치고 있음을 알 수 있었습니다.

그러던 중 「16시간 집중기도훈련」이 이어졌는데 그 시간에 그 집사님에 대한 대물림의 고통을 끊는 기도를 하나님께서 강하게 시키셨습니다.

기도가 시작되고 나서 저는 이 세상인지 영의 세계인지 뚜렷하게 분간할 수는 없었지만 무한 세계로 이끌려 들어가고 있었습니다. 한참을 들어가니 내 눈 앞에 커다란 카메라 렌즈만한 형태의 것이 보였고 저는 그것으로 인하여 더 이상 전진해 들어갈 수가 없었습니다. 자세히 들여다보니 문어발처럼 생긴 그것이 입구를 막았다 열었다를 반복하고 있었습니다.

그때 제 등에 있던 화살을 집어 들고 카메라 렌즈처럼 생긴 그 입구를 겨냥하여 활시위를 힘껏 당겼더니 카메라 렌즈가 찰칵! 하고 열리듯이 입구가 열어졌고 문어발처럼 생긴 것이 축 늘어져 있는 것의 속을 들여다 보았고 손으로 잡아당길 수 있었습니다. 마치 빨래 줄에 빨래가 널려 있듯이 형형색색의 요란스런 깃발들이 뽑혀져 나왔습니다. 그때 이것이 무엇인지 즉시 알 수가 있었습니다.

저는 그 세계로 자연스럽게 들어가 그 문을 막 통과하려는데 신기하게도 제 손에는 커다란 창이 쥐어졌고 발에는 쇳덩어리로 만든 철장화가 신겨져 있었습니다. 그러나 이상하게도 그 커다란 창과 그 무거울 것 같은 철 장화는 제게 하나도 무겁게 느껴지지 않았습니다. 그 장화는 한 발짝 움직일 때마다 쿵쿵하며 우렁찬 소리를 냈고 저는 어둠의 세계로 한 발 한 발 전진해 들어갔는데 어디선가 희미하게 마치 전파 같은 것이 나를 부르는 듯한 소리로 들려왔습니다.

그 소리를 따라 들어가 보니 제 눈앞에 말로 표현하기 힘들 정도의 엄청나게 커다란 나무 한 그루가 있었고 그 나뭇가지에는 온갖 색의 깃발들이 달려 있었습니다. 나를 부르는 듯한 그 전파 같은 소리는 나무 밑에서 나온 소리였다는 것을 알 수 있었습니다. 그 나무가 워낙 크기에 저는 다시 나무 꼭대기로 날아올라 커다란 창으로 가지치기 하듯 수없이 많은 깃발이 꽂혀 있는 나뭇가지를 차근차근 쳐 내려가기 시작했는데 그 거대한 나무 밑동만 남겨 놓고, 기둥 네 개중 두 개를 토막 내서 나무의 밑동을 힘껏 밀어 기울여 쓰러뜨렸습니다. 천사들이 한 곳에 모아 놓은 나뭇가지와 나무토막을 저는 불화살을 쏘아 완전히 불살라 버렸습니다.

나무의 밑동 밑으로 내려가 보았더니 계곡과 골짜기가 보였는데 마치 바닷 속에 온 듯한 그 계곡 사이에 하얀 무엇인가가 세워져 있었고 전파는 그곳에서 나는 것임을 알 수 있었습니다. 조심스럽게 손으로 그곳을 파보니 2~3명의 천사가 육각 모양의 상자를 에워싸며 보호하고 있었고 한 천사에게 집중적으로 에너지를 공급하여 전파를 보내고 있다는 것을 알 수 있었습니다. 그 상자의 뚜껑은 천사들이 덮고 있었지만 안에 무엇이 있었는지 저는 분명히 보았습니다. 그 안에는 빨간 융에 쌓인 생명체(난자)가 있었습니다.

갑자기 위에서 동그랗게 또 다른 세계가 열리더니 하얀 마차가 쏜살같이 내려왔고 천사와 상자를 함께 마차로 옮겨 실었습니다. 그 열린 동그란 문이 닫힐 새라 마차는 쏜살같이 위로 날아올라 세 번에 거쳐 불규칙하게 놓여 있는 문을 통과 하였습니다. 여기까지가 제가 영의 세계에 들어가서 보고 처리한 내용입니다.

그날 저녁 영의 세계에서 있었던 전투로 무척이나 몸이 피곤하였지만 그 집사님께 전화를 하여 "당신을 위해 기도했다"는 얘기를 전하였습니다. 그러나 그 상자 속에 무엇이 들어 있었는지에 대해서는 입을 열지 않았습니다.

며칠 후 집사님으로부터 전화가 왔습니다. "집사님, 응답 받았어요, 집사님이 보신 것이 이거 맞죠?" 라고 하며 "보혈 속에 생명을 주었다" 고 하는 하나님의 음성을 들었다고 하며 제가 본 그 상자를 천사가 새벽기도를 하고 있는 자신의 품에 안겨 주었고 그 상자 속에 무엇이 들었는지는 그 집사님도 정확히 보았다고 하였습니다.

그 집사님은 그 환상을 보면서 그동안 임신이 되지 않은 이유를 알게 되었고, 하나님께서 자녀를 선물로 주실 것을 믿음으로 받을 수 있게 되었습니다. 저와 집사님은 이 감격을 하나님께서 우리 앞에 증거로 나타내 주실 때까지 입을 닫고 기도하며 믿는 마음으로 기다리기로 하였습니다. 이젠 주님의 행하실 놀라우신 일들을 기대하며 기다릴 뿐입니다.

저는 〈성령사역연수원〉의 다양한 커리큘럼과 김재선 목사님의 강력한 영적 리더십을 통하여 철저하게 말씀 중심이 되어 기도하는 방법을 알아가며 훈련하게 되었고 더욱 견고한 능력기도로 무장하게 되었습니다.

하나님께서는 이렇게 말씀과 기도로 무장된 하나님의 위대한 전사들을 통해 하나님의 나라를 완성해 가신다는 사실을 경험하게 되었습니다.

우리 믿음의 용사, 기도의 용사들은 우리에게 주어진 삶의 터전에서 하나님의 나라를 굳건히 이루어가는 강력한 "주님의 특공대"로 세워져가야 할 것입니다.

부족한 저를 새로운 말씀과 기도의 깊은 영의 세계로 이끌어 주신 〈성령사역연수원〉 원장 김재선 목사님께 깊은 감사를 드리며 이 모든 영광을 하나님께 돌립니다.

내가 아버지와 닮은 꼴이라고?

오 봉 기 목사

(6기 행복한교회/오산)

평소에 아주 기도를 많이 하는 친분 있는 목사님으로부터 〈성령사역연수원〉을 소개 받았습니다. 그분께서 하시는 말씀이 "연수원에서 하는 이런 기도는 자기도 처음이고 최고의 능력있는 기도인 것 같다" 라고 하시는 것이었습니다. 자기도 지금 훈련을 받고 있다는 말에 모든 일 제쳐 놓고 무조건 연수원으로 달려 왔습니다. 왜냐하면 기도하는 목사님이 소개해 주었기 때문이었습니다.

전 스스로 생각하기를 저의 기도에는 별다른 문제가 없고 다만 능력 면에서만 부족한 줄 알았습니다. 그러나 곰곰이 생각해 보니 만약 기도에 문제가 없다면 영적 능력 면에서도 문제가 있을 수 없겠지요.

「특수부대식 기도훈련 전문반」 6기에 등록하여 기도 훈련을 받으면서 세상에 이런 기도가 있는 줄은 상상도 못했습니다. 4개월여 동안 기도 훈련과 연수원에서 매주 행해지는 많은 세미나 프로그램을 통하여 엄청난 영적 지식을 얻고 영의 세계를 경험을 하게 되었습니다.

제가 지금까지 배우고 직접 경험한 것들 중에 특히 대물림의 고통을 끊는 세미나에 대해서 몇 자 적어 소개하려 합니다.

이해를 돕기 위해서 저의 개인적인 이야기를 해야겠습니다.

사람들은 일반적으로 저를 꽤 온순한 사람으로 봅니다. 그러나 제 가까이서 생활하는 사람들은 저를 온순한 사람으로 보진 않습니다. 속을 잘 들여다보면 성격이 급해 좀 까다롭고 고집스러워 보이는 모양입니다. 그래서인지 제가 섬기는 우리 성도님은 절 꽤 무서워(?) 합니다.

어느 날 성령님께서 이런 제 모습을 볼 수 있도록 해 주셨습니다. 이건 뭔가 잘못된 게 분명했습니다. 성도들을 사랑하는 마음으로 한마디 던졌는데 상대편은 제가 화가 나서 말한 것으로 알아 듣습니다. 분명히 저는 화를 내지 않았는데도 상대편에서는 화를 내는 것처럼 느껴진다고 합니다. 내 마음은 전혀 그게 아닌데 왜 내 의도와는 다르게 상대방에게 나의 모습이 전달되는 걸까? 왜 내 마음과는 정반대로 사람들이 나를 이해하는 것일까? 때때로 나 자신의 모습을 이해할 수 없을 때가 많았습니다.

그러나 「대물림의 고통을 끊는 세미나」 강의를 듣다 보니 이런 문제가 저에게 있음이 다시 생각나게 되면서 그때 떠오르는 것이 아버님 모습이었습니다. 아버님 생전의 모습이 꼭 그러셨습니다. 당신은 좋아서 하시는 말씀이라도 옆에서 보고 있는 저희에겐 꼭 화나신 분 같아 보였거든요.

제가 예수님을 영접한 후로는 인격에도 많은 변화가 있게 되었습니다. 그래서 제가 전에 섬기던 교회의 어떤 청년은 절 보면 예수님을 보는 것 같다고 할 정도였으니까요. 저는 제 주위에 믿음을 가진 많은 분들로부터 육의 사람이 아닌 영의 사람으로 살아가는 것 같다고 인정받기도 했습니다.

그러나 간혹 드러나길 원치 않는 저의 숨은 인격(?)이 나타남을 봅니다. 이것이 옛 모습인가 봅니다. 마치 아버님을 닮은꼴의 모습을 보는 듯합니다. 이런 모습은 어김없이 저의 영성이 바닥을 칠 때면 반드시 드러나는 현상 가운데 하나입니다.

저의 자녀 역시 할아버지를 잘 모르는데도 꼭 할아버지와 닮은 꼴입니다. 제 자녀는 많은 친구들로부터 신앙 좋다고 인정받는 청년인데도 말입니다. 제 자녀의 모습에서 제 아버님의 모습을 발견할 때가 종종 있습니다.

이 문제를 어떻게 봐야 할지 해답이 없던 터에 「대물림의 고통을 끊는 세미나」를 들으며 해답을 발견하게 되었습니다.

사무엘의 경우에도 엄청난 선지자였는데 그의 자녀는 그렇지를 못했습니다. 그래서 자녀 교육에 실패한 사사라고 말들 하고 있습니다. 또한 우리나라에서도 자기 나름대로는 큰 교회를 하면서 목회를 잘한다는 평을 듣는 목사님들 가운데도 자녀를 제대로 교육시키지 않았다는 뒷말을 듣는 경우도 그렇구요.

언급한 대로 그들 모두가 엄청난 기도의 종들이었음이 분명하지 않습니까? 그런데 엄청난 기도의 종들의 자녀들임에도 불구하고 자녀들이 자신들의 부모처럼 기도로, 말씀으로 삶을 다스리지 못하게 되니까 자연히 대물림의 저주가 모습을 드러내게 된 것이지요. 대물림의 저주에 관한 강의를 들으며 제 삶에 이런 문제가 있음을 알고 끊어야 할 저주의 줄기들을 진단할 수 있었습니다.

영의 문제는 영적 지식, 영적 능력으로만 해결할 수 있습니다. 다른 어떤 것으로도 안 됩니다. 영의 세계를 육의 지식과 능력으로는 해결할 수가 없습니다. 마치 육적인 세계에서 아버지가 가난뱅이라면 자식은 자기가 가난을 벗어날 수 있는 능력을 가지지 못하는 한 필연적으로 가난을 경험하게 되는 것과 같은 원리라고 생각됩니다.

영의 세계도 마찬가지입니다. 성경은 영적인 일을 말씀하고 있는데 우리는 영적인 세계를 경험하지 못하고 알지 못하니까, 삶의 문제가 있어도 그 문제의 근본 원인을 알 수 없고 원인을 모르니 문제가 해결되지 않은 채 계속 다람쥐 쳇바퀴 돌듯이 우리의 인생에 닥쳐오는 문제를 임시방편으로만 막아 가면서 살아가고 있는 것입니다. 이렇게 임시방편으로만 문제를 막아 가면 그 당시에는 문제가 해결된 듯 보이고 어려움이 지나간 듯 보이지만 곧 이와 비슷한 맥락의 문제들이 다시 닥쳐오는 것을 볼 수 있습니다.

대물림의 저주도 그 근본 뿌리를 뽑지 않으면 이와 관련된 문제들이 그 줄기를 타고 계속 내 삶에 일어나고 오게 되는 것입니다. 그래서 대물림의 저주에 관한 올바른 영적 지식을 가지고 기도의 능력을 쌓아 저주의 줄기를 끊게 되면 우리가 원치 않는 데도 계속 일어나는 문제들을 해결하게 되어 내 삶에 다시는 그와 같은 일들이 일어날 영향력이 미미하게 되는 것입니다.

목사는 영적인 일을 다루는 사람이라고 생각하며 지금까지 저는 그렇게 일해 왔습니다. 그러나 지금 4개월여 여러 세미나들과 기도 훈련을 받고 보니 〈성령사역연수원〉에 오기 전까지 저는 영적 세계를 배워서 일하는 목사였던 것 같습니다. 사탄의 영이 지배하는 무속인의 세계에서도 그들의 신이 내려서 사역을 하는 강신무가 있고 배워서 하는 학습무가 있다고 들었습니다.

이와 같이 하나님의 영의 세계에서도 배워서 목사가 되는 분들이 제법 있잖아요. 성경을 배워서 말한다 해도 잘 할 수 있겠지요. 저도 배워서 목사가 된 사람 중의 한 사람입니다. 그렇다고 성령을 안 받았다는 말은 아닙니다. 그러나 〈성령사역연수원〉에 와서 하나님의 영의 세계를 깊이 깨달아 알 수 있게 되었습니다. 그래서 이제는 다른 사람에게서 배운 영의 세계가 아닌 제가 직접 경험한 하나님의 영의 세계를 선포할 수 있는 목사가 되기 위해 연수원을 통하여 더 강한 훈련을 마다하지 않고 받으려고 합니다.

이젠 말씀을 중심으로 영의 원리를 터득하게 되며, 그 원리가 실제화 되는 영적 세계를 경험하면서 영의 세계를 설교하게 되는 저의 달라진 모습을 들여다보며 놀라고 있습니다.

성경이 새로운 세계에서 보이기 시작합니다. 성경을 아무리 많이 읽어도 영의 눈이 바로 떠지지 않으면 땅의 일만 보일 따름이며, 설교를 아무리 잘해도 땅의 일을 말할 뿐입니다. 지금은 저의 설교가 점점 하늘의 일을 선포하게 되고 있는 것을 실감합니다.

〈성령사역연수원〉의 이렇게 좋은 여러 가지 세미나들에 대한 광고를 좀 더 널리, 좀 더 많이 하여서 더 많은 이들에게 알리면 좋을 텐데요. 모쪼록 〈성령사역연수원〉을 알게 되는 기회가 주어지신 분이라면 그 기회를 꼭 붙잡으셔서 기도와 말씀의 놀라운 영의 세계를 경험하실 수 있기를 바랍니다.

이제 겨우 한 학기가 지났지만, 훈련받는 동안 놀라운 영적 세계와 능력기도의 세계를 열어 주셔서 각별한 경험을 할 수 있도록 혼신의 힘을 다해 지도해 주신 〈성령사역연수원〉 원장 김재선 목사님에게 특별한 감사를 드립니다.

그가 단련하신 후에는 내가 정금같이 나오리라

박 명 원 선교사

(6기/일본 동경
한국중요무형문화재 제106호 서각작가)

저는 어머니의 100일 불공으로 태어나 어려서부터 불교의 삶에 깊이 영향을 받으며 자란 열렬한 불교도였습니다. 그리고 유명한 철학관과 점쟁이들을 찾아 다녔으며 삼각산이나 지리산, 심지어 비행기를 타고 제주도까지 굿하러 다닐 정도로 우상숭배를 심하게 했었습니다.

또한 일본 유학중에는 불교의 경전인 반야심경이란 글자 한자한자 밑에 섬세하게 연꽃을 조각하여 일본 최고의 "마이니치 서도전"(毎日書道展)에 출품하여 외국인으로서 첫 마이니치 수상자가 되어 일본 열도와 메스컴을 떠들썩하게 할 정도로 역사에 남는 인물이 되기도 하였습니다.

작가로서 명성을 떨치며 최고, 최일류 만을 고집해 온 저의 삶에 어느 날 하루아침에 찾아온 질병으로 외로운 투병 생활을 해야 하는 삶으로 바뀌게 되면서 죽음의 긴 터널 속으로 빠져들기 시작했습니다. 저의 몸은 머리끝부터 발끝까지 어느 한 곳 성한 곳이 없을 정도로 망가져 버렸으며 핸드백 하나도 들 수 없을 정도로 마치 바람 빠진 풍선처럼 폐인이 되어 버린 저는 생에 의욕을 상실한 채 자살을 결심하게 되었습니다.

홀혈단신 타국에서 10년 가까이 죽음의 세계를 방황하다 거의 죽음 직전에 하나님을 만나게 되었고 건강을 너무 깨끗하게 회복시켜 살려 주신 주님의 은혜에 감사하며 살아가는 제2의 인생이 시작되었습니다. 제가 예수님을 영접하고 크리스챤이 되었다는 말이 알려지기 시작하자, 모두들 놀래기만 하였고 농담인 줄 알고 믿어 주지를 않았습니다. 저는 그렇게 예수를 믿기 시작하면서 주님을 향한 신앙의 열망과 영적 세계를 더 깊이 알고 싶어 갈급해 하고 있었습니다.

그러던 중 지난 2월 한국에 잠시 나왔다가 일본으로 돌아갈 준비를 하고 있는데 제가 잘 알고 있는 사모님의 인도로 〈성령사역연수원〉의 세미나에 참석하게 되었고 그 후 발목이 붙잡혀 쉴새없이 연수원을 다니다 보니 어느새 한 학기를 기쁨과 보람으로 마치게 되었습니다.

원장이신 김재선 목사님의 열정적인 강의는 시간마다 저를 사로잡았고 평소에 저 혼자의 힘으로는 더 이상 확증시킬 수 없었던 힘겨운 사건들을 생각나게 만들었습니다.

말씀을 들으면서 이런 사건의 베일이 한 겹 한 겹 벗겨지면서 제가 가지게 되었던 생각이 전부 맞는다는 것을 검증할 수 있었습니다. 그래서 저는 "바로 이거야!"하는 마음에 감격을 가지면서 강의를 들었고 감동의 연속으로 제 영은 기뻐 뛰었습니다.

김재선 목사님의 강의를 들으면서 목사님이 가지고 계신 생각과 제가 가진 생각이 신기하리만큼 비슷함을 느끼곤 했으며, 목사님께서 적절한 예를 잘 들어 주셔서 강의를 쉽게 이해할 수 있었습니다.

특히 제가 가장 은혜를 많이 받은 세미나가 「대물림의 고통을 끊는 세미나」였습니다. 인간은 누구나 어느 가문의 후손으로 태어나는데, 그 가문의 후손인 부모를 통해 태어날 때 부모의 피를 닮게 되고 유전자를 닮게 됩니다. 이런 것은 그 사람의 외모를 결정하고 물질적인 부분만 닮는 것이 아니라 성격과 행동도 닮게 되는데 이것을 "대물림"이라고 하며, 육체적인 부분과 정신적인 부분까지 대물림되는 것입니다. 그리고 부모의 좋은 면이 대물림되기도 하지만 많은 경우에 좋지 않은 면이 대물림되는 경우가 있습니다.

믿음의 사람이 되었어도 대물림의 영향으로 괴로움을 당하는 경우가 많은데 자기 자신이 고치려고 애를 쓰는데도 고쳐지지 않는 성격이나 행동 때문에 괴로워하는 경우가 많습니다. 예수를 믿으면 모든 대물림의 형벌(저주)에서 벗어나게 된다고 생각하는데 현실에서는 그렇지 않다는 것이 의문이었습니다. 예수를 믿고 난 후로도 저의 삶은 쉽게 풀리지 않았고 이런 모습에 약간은 회의를 느끼며 왜 그러는지 이유를 모른 채 여기에서 벗어나려고 몸부림치며 기도도 했습니다.

그런데 「대물림의 고통을 끊는 세미나」는 저의 이러한 의문들을 단번에 해결해 주기에 너무나 적절했습니다. 이론적인 면을 정립해 줄 뿐만 아니라 실기까지 겸하여 실제로 대물림의 문제를 해결할 수 있도록 도움을 주었습니다.

김 목사님께서 대물림에 대한 강의를 하시면서 많은 예를 들어 설명해 주셨는데 그 가운데 남편이 '로보캅'으로 보이는 어느 가정의 부부의 이야기를 듣는 순간 갑자기 저는 목이 메어 왔으며 저는 속으로 오열하며 소리 없이 통곡하고 있었습니다.

그 순간 목사님께서 "선교사님은 파란만장한 삶을 사셨네요!"라고 제게 말씀하셨습니다. 그 말씀을 들을 때 저는 눈물이 핑 돌았습니다. "네. 그래요! 저는 파란만장한 삶을 살아 왔어요"라고 모기 소리 만하게 힘없이 혼잣말로 대답했습니다. "무슨 대물림의 죄 값으로 이렇게도 삶이 순탄치 못하단 말인가!" 순간 저의 인생이 불쌍해지며, 억울하기까지 하여 눈물이 앞을 가렸습니다.

가계에 흐르는 저주인 대물림, 그것은 사람을 망하게 하고, 삶을 묶어 놓고 가정을 파괴시키는 사탄이 사용하는 최대의 무기였습니다. 음란, 가난, 질병, 혈기 등이 유전적으로 조상을 통해 우리의 삶에까지 이어져 왔습니다. 성격, 외모, 행동, 즉 말하는 것, 생각하는 것, 걸음걸이 등을 보아도 아들은 아버지를 닮고, 딸은 어머니를 닮는 가계에 흐르는 대물림은 세상에도 있으며 성경 속에도 너무나 많이 부모님을 닮은 모습이 기록되어 있었습니다.

대물림의 실기 시간에 제가 깊이 몰입되어 기도할 때, 저에 대한 대물림의 저주가 무엇인지 하나님께 알게 해 달라고 하였습니다. 그러자 하나님께서 제게 보여주신 것은 오래된 큰 절의 입구에 큰 방망이를 들고 서 있는 도깨비 같이 험상궂게 생긴 두 사람과 대웅전의 본당과 그 본당 안에 있는 불상과 그 앞에 음식들이 차려진 상들과 작은 중들이 보였습니다. 이 절은 저희 어머님의 납골 묘지가 있는 경기도 소재의 절인 것을 알 수 있었으며 이것은 지난 날 우상 숭배했던 죄를 확실하게 보여준 것이었습니다.

이것을 어떻게 처리할까 생각하다가 몽둥이로 수문장을 때려 눕히고 대웅전 본당의 큰 불상도 두들겨 부수려고 하는데 힘이 모자라서 큰 포크레인으로 찍었습니다. 그리고 폭탄으로 완전히 폭파시켜 없애버린다고 하였으나 폭파의 장면이 보이지 않은 것으로 보아 대물림의 저주가 완전히 끊어지지 않았다는 느낌이 들어 더 깊이 기도를 하여 확실히 끊고 뽑아내야겠다는 생각을 강하게 하게 되었습니다.

성경은 분명히 아비의 죄악을 그 후 자손의 품에 갚으신다고 했습니다. 자신이 범죄하여 하나님께 저주받는 것은 당연합니다. 그러나 자신의 죄와 상관없이 조상의 죄로 인하여 후손이 고통을 받을 수 있습니다.

「대물림의 고통을 끊는 세미나」를 통하여 나도 모르는 조상들의 죄에 의해 전가되어 있는 모든 형벌(저주)을 끊어야 한다는 사실을 깨닫게 되었으며 대물림의 저주가 임하게 되면 정신적 고통을 받게 되고 육체적 고통을 받게 되며 가정적으로, 물질적으로, 영적으로 고통을 받게 된다는 것을 알게 되었습니다.

김 목사님은 대물림의 결과로 물질적인 손해를 보게 된다고 하셨는데, 물질적 손해를 통한 가난의 저주가 임하는 경우는 우상숭배자의 후손이나 점쟁이의 후손, 그리고 점을 치거나 굿을 한 사람들의 후손, 점쟁이를 먹여 살린 후손, 우상숭배로 얻은 수익을 먹고 성장한 사람들이 그 경우라고 했습니다. 저는 우상숭배를 한 가정에 태어나 자랐고 제 자신이 우상숭배를 하면서 살았기 때문에 한때는 서각(書刻)분야의 최고 작가로서의 활동으로 많은 수입을 얻어 물질의 부요함도 누려 보았으나 후에는 투병 생활 하는 동안 그 재산이 온데간데없이 다 사라져 버리고 물질적인 고통을 당할 수밖에 없었습니다. 근본적으로 대물림의 문제가 해결되지 않으면 가난의 저주에서 벗어날 수 없다는 것이었습니다.

「대물림의 고통을 끊는 세미나」를 통하여 하나님은 저에게 우상숭배의 죄를 보여주셨고, 저는 세미나 실기 시간에 그 문제를 처리하는 기도를 시작했습니다. 한 번의 세미나를 통하여 대물림이 완전히 처리된 것 같지는 않지만 그래도 세미나를 받고 난 이후에 우선 마음의 상태가 무언가에 억눌리고 쫓기는 듯한 불안감 속에서 벗어날 수 있어서 자유로움을 느끼는 상태가 되었으며 그동안 풀리지 않았던 사업의 문제가 조금씩 풀려지고 있는 변화를 느낄 수 있었습니다.

「대물림의 고통을 끊는 세미나」를 통하여 이러한 은혜를 주신 하나님께 감사드리며 어떻게 대물림의 문제를 해결할 수 있는지 그 방법까지 알게 하신 김재선 목사님께도 감사드립니다.

약 30년 전 일본으로 단신 유학하여 오늘까지 일본에 거주케 하셨음이 일본의 영혼들을 구원하시기 위해 이렇게 고통과 고난 속에서 연단시켜 하나님의 뜻대로 사용하기 위한 하나님의 계획이란 사실을 뒤늦게 깨달아 알게 되었습니다.

저는 지난 날 예술가로서 최고의 상을 수상한 바 있고, 〈국가 중요 무형문화재 각자장 이수자(刻字匠 履修者)〉로 선정되어 부와 명예를 누리는 화려한 전력도 있었으나 죽음의 고비를 넘기며 주님의 은혜 안에서 살아가고 있는 지금은, 그런 것들이 저에게는 별 가치 없는 것들이 되었습니다.

일본 '마이니치 서도전'에서 대상 작품으로써 그간 아끼며 보존하여 왔던 집 한 채 값의 반야심경 대형 서각을 과감히 부수어 뜨려 없애 버림으로서 하나님이 기뻐하시는 새로운 사역의 길을 가겠다고 굳게 다짐하며 살아가고 있습니다.

모든 영광 하나님이 받으소서. 아멘.

대물림이 끊어져야 목회가 풀린다

손 화 평 목사
(6기 늘행복한교회/안양)

1989년에 제가 능력을 받아 하나님의 일을 하려고 40일 작정 철야 기도를 하는데 첫날 새벽에 꿈을 꾸었습니다. 꿈에 사방 네 자 되는 새까만 바위가 제 복부 위에서 나를 죽이려고 했지요. 영안이 열린 목사님이 저를 보시고 "빨리 신학 가야지 안 가면 중 가운데에서도 큰 중(승려)이 된다"고 했습니다.

그런데도 가지 않다가 12년 만에 신학교에 뒤늦게 들어가게 되었습니다.

2000년 12월 신학교 2학년 겨울 방학 때 제가 사는 주택에서 개척하여 예배를 드리게 되었습니다. 그렇게 시작하여 신학을 졸업하고 8년 동안을 여기저기 세미나에 다녀 보았지만 정말 수박 겉핥기로 다녔고 큰 성과 없이 세미나 맛만 보고 다녔습니다.

8년 만에 성령님의 인도하심을 따라 안양으로 이전하게 되었는데 예배를 바로 드리지 못하고 이래저래 망설이고 있을 때, 저는 성령님의 100일 작정 기도 명령에 따라 하루에 기도 5시간,

말씀 5시간 하라고 하셔서 해 보려고 애써 봤지만 잘 되지를 않았습니다. 그래도 순종하는 마음으로 2008년 12월에 예배를 드렸습니다. 막상 이전하여 교회를 새롭게 시작하고 보니 두려움이 앞섰습니다.

제대로 아는 것, 준비된 것 없이 하려고 하니 정말 자신이 없고 "목회는 이렇게 하는 것이 아닌데 어떤 방법이 없나, 어떻게 해야 되나" 하는 고민에 빠져 있을 때 아는 목사님이 국민일보 광고란에 「특수부대식 기도특공훈련 무료세미나」가 실렸는데 가 보자고 해서 같이 참석하게 되었습니다.

〈성령사역연수원〉 원장 김재선 목사님을 만나 연수원에서 개설하는 여러 가지 세미나를 듣고 더불어 「특수부대식 기도훈련 전문반」 6기에 등록하여 기도 훈련을 받으면서 담대함과 확신과 자신감이 생겼습니다.

특히 저는 「대물림의 고통을 끊는 세미나」를 들었을 때 가장 큰 은혜를 받게 되었습니다.

말 그대로 대물림이란 조상들이 우상을 섬기거나 하나님 말씀을 따르지 않아서 그 저주가 대대로 내려오는 것을 말합니다.

강의를 들으면서 대물림을 끊지 않고는 교회도 부흥이 되지 않으며 자녀들도 축복을 받을 수 없겠다 하는 생각을 갖게 되었습니다. "아 ~ 여기로구나. 여기서 뒤로 물러서면 목회도, 내 자신도, 가정도, 자녀들도 아무것도 안 되겠구나. 이 시대에 나를 쓰시려고 하나님께서 종으로 불러 주셨다면 최선을 다해 보자!

그리고 〈성령사역연수원〉에서 승부를 걸어보자!" 하며 이번 기회에 승부를 내야겠다고 결심했습니다.

저는 저희 시댁 조상들이 무당이었다는 사실을 결혼하고 나서야 알았습니다. 시할머니가 무당이었고 대물림으로 남편의 형제에게 내려와서 시숙이 반 무당이었고 손아래 동서도 10년 동안 신 굿을 받아 무당을 했지요. 제가 목사 안수를 받던 해에 손아래 동서는 무당을 그만 두었습니다. 김재선 목사님의 세미나 강의 중 무당과 무당의 후손들은 저주를 받는다는 말씀에 저는 이러한 대물림을 이번 기회에 끊어야겠다고 결심하게 되었습니다.

나중에 알고 보니 교회 뒤쪽으로 무당집이 30여 군데 있다는 것을 알게 되었습니다. 그렇다고 금방 이사할 수도 없고 '이곳에 보낸 것도 하나님의 뜻이겠지'하며 계속 있게 되었는데 교회가 부흥 되기는커녕 어린 아이들도 안 오고 1년 이상 너무 힘들었습니다. 지금 생각해 보니 이것이 조상의 대물림의 영향인 것 같았습니다.

「대물림의 고통을 끊는 세미나」 때 김재선 목사님의 인도로 실제로 나의 대물림을 끊는 실기 시간을 갖게 되었습니다. 이때 저는 기도하는 중에 환상을 보게 되었는데 시골 황토 길을 어디론가 가며 걷고 있는데 빛이 그 길을 비춰 주었고 계속해서 걷고 있는데 중(승려)이 나의 가는 길을 막고 있었습니다. 그 중의 목, 팔을 칼로 잘라서 불 속에 던져 버렸습니다. 그 길을 따라 계속 들어가고 있는데 "14대"란 큰 글씨가 보였습니다. 김재선 목사님께서는 이것을 쳐 부셔 버리라고 하시는데 어떻게 없애야 하나 생각하며 기도만 하고 있던 중 그것이 없어졌습니다. 그래서 다시 길을 따라 가는데 연못이 보이고 연못에 연꽃 한 송이가 피어 있기에 그 연꽃을 뽑아 칼로 난도질해서 불로 태우고 정리했습니다. 그 길을 따라 갔더니 엄청나게 큰 정자나무와 서낭당 돌무덤이 보이고 빨강, 초롱, 녹색 새끼줄에 울긋불긋한 천으로 정자나무에 둘려 있는 것을 보았습니다. 그래서 두 칼로 정자나무를 자르고 뿌리가 남아서 어떻게 해야 할까 하다가 연장이 있기에 뿌리를 뽑아내니 한 번에 뽑혔습니다. 뽑은 후 그것을 톱으로 자르고 불로 태워 버렸습니다.

그리고 또 그 길을 따라 가는데 계속 기도하니 산이 보이고 산 속에 큰 절이 보였습니다. 어떻게 이 큰 절을 처리해야 하나 생각하고 있는 순간 수문이 보였습니다. 한 수문에 세 개의 파이프가 연결되어 있었고 "나사를 돌려라" 는 음성이 들려서 그것을 돌렸더니 첫째 파이프에서 불이 나오고, 두 번째 파이프에서는 피가 나오고, 셋째 파이프에서는 물이 나왔습니다. 제 생각에 불은 성령의 불, 두 번째 피는 주님의 보혈, 물은 말씀을 뜻하는 것 같았습니다.

첫 번째 파이프에서 나오는 불로 절을 태우고 있는데 마당에 10살 정도의 남자 아이가 마당에 있는 것이 보였습니다. "저 아이는 또 누구야?" 하고 생각하는 동시에 "그 남자 아이는 네 남편이었단다"는 음성이 들려왔습니다. 남편이 어렸을 때 시주하러 왔던 중이 남편의 명이 짧다고 하여 시아버지께서 제 남편을 절로 보내서 3년 동안 있다가 왔었다는 얘기를 들은 것이 생각났습니다. 그래서 그 아이도 불로 태웠습니다. 남편이었다는 연민의 마음이 들어 순간 멈칫했지만 그래도 대물림의 근원을 없애야 한다는 생각으로 불로 태웠습니다. 절이 모두 타고 난 뒤에 두 번째와 세 번째 파이프를 이용해 보혈로 뿌리고 물로 깨끗하게 씻어 냈습니다. 이렇게 하고 나니 "아, 대물림이란 이런 것이구나. 내 대에서 끊어졌구나" 하는 것을 확실히 느낄 수 있었습니다.

2박 3일의 세미나를 끝내고 그 주간에 있는 「기도훈련 전문반」에서 기도할 때는 「대물림의 고통을 끊는 세미나」에서 대물림을 끊어 낸 방법처럼 연이어서 교회 주변의 30여 군데 무당 집들을 불, 피, 물의 세 파이프를 이용해서 모두 쳐 내고 처리하게 되었습니다.

대물림을 끊어 낸 이후에 달라진 점들이 나타났습니다.

권사님 한 분이 자기는 큰 교회가 싫고 관심과 사랑을 받을 수 있는 개척 교회 다니고 싶다면서 우리 교회에 오시게 되었습니다. 그리고 옷 수선 가게를 운영하는 집사님께서 부업으로 건강식품 사업을 하려는데 이를 위해 기도해 주시면 여기서 얻는 수익금을 저희 교회에 물질로 선교하겠다고 하셨습니다.

또 동생인 권사님이 그동안 내 주었던 교회 월세는 작년 10월달부터 사업이 어렵다면서 보내오지 않게 되었는데 금년 4월부터 다시 보내 주기 시작하였습니다. 그리고 자녀들과의 관계도 화목해졌고요.

연수원의 세미나에 다니는 비용도 자녀들과 형제들이 즐거운 마음으로 내 줍니다. 이렇게 물질의 문제가 풀리기 시작하니까 자신감이 생기고 제 발로 성도가 들어오고 있답니다.

〈성령사역연수원〉에 와서 강의를 들어보시면 아시겠지만 100년 만에 한 분 나올까 말까 하는 김재선 목사님을 만난 것은 순전히 하나님의 인도하심 때문입니다.

강의를 들을 때마다 목사님의 영의 깊이가 너무나 엄청나심을 발견할 수 있습니다. "진정 이 시대에 하나님께서 쓰시려고 훈련시키신 목사님이시다" 는 생각이 듭니다.

모든 세미나마다 절로 감탄이 나옵니다. 말씀과 영성으로 명쾌하게 가르쳐 주시니 체계적으로 정립이 되고 담대함과 자신감이 생겨 두 주먹이 불끈 쥐어지게 됩니다.

특히 개척 교회 목사님들이 이곳저곳 세미나를 다니지 말고 종합적으로 시스템을 갖추고 있는 〈성령사역연수원〉에 오셔서 배우면서 목회하시면 얼마나 좋을까 하는 생각을 해 봅니다.

이 세상에서 대물림으로 인해 고통 받고 있는 많은 믿는 분들이 〈성령사역연수원〉의 「대물림의 고통을 끊는 세미나」를 통해 저와 같이 해결 받는 역사가 일어나기를 소원합니다.

이젠 더 이상 고민하지 않아요

이 장 원 청년
(1기 성령의 능력교회)

"나는 왜 태어났을까? 무엇하려고 태어났지?" 조금은 원
색적이지만 "먹고 자고 놀고의 반복, 왜 나는 이렇게 사
는 걸까? 나는 왜 이렇게 하는 일마다 안되는 걸까? 다른 이들
은 예수를 믿지도 않는데 일도 잘 풀리고 행복한 것 같은데…"
친구들은 저에게 이구동성으로 "너는 인생이 왜 그 모양이냐?"
하고 쉽게 말을 할 때, 저는 그냥 웃음으로 받아 넘기지만 제 마
음은 많은 아픔과 상처로 견디기 어려울 때가 한두 번이 아니었
습니다.
탈모 현상으로 인해 머리수가 적어지기 시작하면서 많은 스트
레스를 받고 있는 올해 나이 37세의 총각입니다. 20세를 갓 넘
으면서부터 빠지기 시작한 머리카락이 점점 적어지고 있다는
사실이 제게는 너무나 무거운 짐이었고 힘겨운 과정을 살아가
게 되었습니다.
사실 20세 이후 지금까지 머리에 쏟아 부은 정성은 말할 것도
없고 탈모에 좋다는 샴푸, 의약품 등 머리에 투자한 돈만 해도
자동차 한 대 값은 족히 들어가지 않았나 생각합니다.

이로 인해 청년의 삶에 희망이 사라지는 느낌과 끊이지 않는 불평과 원망, 괴로움, 좌절의 연속의 나날들을 보내야만 하는 심각할 정도의 부정적인 영향에 휩싸이게 되었습니다.

이런 감정이 쌓이고 쌓여 세상에 대한 분노로 표출되면서 나 자신도 놀라게 되었고 어떤 한 가지 일에 집착을 해야만 마음이 안정을 찾을 수 있었습니다. 저 스스로 삶에 대한 끊이지 않는 질문은 "도대체 왜 사는 거야?" 였습니다.

정말이지 죽지 못해 산다는 생각과 눈만 뜨면 찾아오는 외모에 대한 거울과의 싸움, 시험만 보면 늘 낙방하고 마는 무능한 내가 오늘도 책상에 앉아 있어야 한다는 이 모든 사실이 저에겐 무거운 고통이었습니다.

사람과의 관계 속에서 편안하게 접근할 수 없어 찾아오는 갈등, 사람들이 떠나고 혼자 남겨졌을 때 밀려오는 외로움과 고민, 공허함, 이런 일상의 반복 속에서 저에게 한 줄기의 빛과 같은 것이 있었으니 그것은 〈성령사역연수원〉을 알게 된 것입니다.

연수원은 이런 저의 인생의 문제들을 해결할 수 있는 사막의 오아시스와 같았으며 어둠의 나락으로 빠져드는 저에게 소망의 삶을 살게 해 준 도피성과 같은 곳이었습니다.

제 자신에게 던졌던 수많은 반복된 질문과 문제들을 해소하고 치료할 수 있는 절호의 기회가 찾아 온 것입니다.

그때는 그것이 행복한 삶으로 가는 길인 줄도 몰랐지만, 지금

돌이켜 생각해 보니 연수원은 이런 저에게 새로운 활력을 되찾아 주었으며 인생의 문제들을 해결할 수 있는 엄마 품과 같은 안식처였습니다.

타인과의 관계 속에서도 편안함과 긍정적인 안목을 갖게 하고 자신의 삶에 대한 관점 또한 바꿀 수 있도록 만들어 준 너무나 귀한 곳입니다.

저는 연수원에서 김재선 목사님께서 강의하시는 모든 세미나와 기도 훈련 과정을 모두 거치게 되면서 차츰 차츰 변해 갔고 더이상 인생을 살아가는 데 있어서 답답해하지 않게 되었습니다. 특히 「근성치유 세미나」에 참석하여 내가 오랫동안 고민해 왔던 문제들에 대한 답을 얻게 되었습니다.

또한 목사님의 세미나 커리큘럼은 사람마다 가지고 있는 속성인 나 자신의 근성에서 출발하여 대물림과 상처 치유로 이어지는 체계적인 이론과 방법들을 일관되게 연결해 놓으셔서 우리의 삶 전체를 묶고 있는 악한 영들의 궤계를 단계별로 끊게 하셨습니다. 세상의 치유 접근 방식하고는 방법 자체가 전혀 달랐습니다.

막연히 "나는 게으르고 무능해서 무언가 해도 잘 안 된다"고 생각했고 "머리가 뒤따르지 못해서 잘 안 된다"고 생각하며 아무리 발버둥치고 허우적거려도 마치 늪에 빠진 것처럼 헤쳐 나오지 못하는 내 자신을 보며 어른들이 말씀하시는 것처럼 노력을 안 해서 그렇다는 생각을 해 왔었습니다. 또 남들처럼 노력을 하고 싶은데도 "왜 이렇게도 나는 잘 되지 않는 것일까?" 하는 문제와 무엇이 그렇게 만드는 것인지에 대한 고민, "왜 내가 마음먹은 대로 되지 않는 걸까?" 하는 무수히 많은 생각들이 바로 하루하루의 삶을 고뇌에 차게 하였습니다.

그러나 여기 〈성령사역연수원〉에 와서 세미나를 듣기 시작하는 순간부터 얽혔던 실타래가 풀려지듯이 그렇게 하나 하나 풀려지고 이해되기 시작한 것입니다.

그렇게 고뇌에 찬 제 인생의 문제들의 해답이 「근성치유 세미나」를 들으면서 조금씩 풀려지기 시작했고, 「대물림의 고통을 끊는 세미나」 「상처치유 세미나」를 통해서 더 깊이 알게 되었으며 이렇게 되는 이유가 내가 상상치도 못했던 깊은 영적 세계에서 연유했음을 발견하게 되었습니다.

단순히 노력을 안 해서 그렇게 된 것만이 아니라 생각지도 못한 내면과 환경, 나와는 상관도 없을 것 같은 조상들이 내게 끼치는 영향력이 있어 지금의 내 삶이 이렇게 영향을 받는 것임을 알게 되었습니다. 그리고 가깝게는 소위 친하게 지내는 사람들과의 관계 속에서 흐르는 공유의 영, 친구·가족·사회 속에서 받는 상처, 이런 것이 내 삶에 복합적으로 영향을 끼치고 있음을 알게 되었습니다.

세상 사람들을 보면서 가졌던 궁금증들, 믿는 사람들을 바라보면서 가졌던 의문점들에 대해 그 근본 원인이 어디에 있었는지도 알게 되었습니다.

어떤 사람들은 다른 이들보다 더 많은 노력을 하고 더 많은 투자를 하고 힘써 일하는데도 돌아오는 대가가 턱없이 부족한 이유, 또 어떤 이들은 열심히 살면서 속칭 잘 나가는 것처럼 보이지만 갑자기 어려움 가운데 처하게 되고 망하는 길로 가게 되는 이유도 알게 되었습니다.

법률을 알고 도덕을 아는 정·재계의 유명한 사람들, 변호사, 의사, 많은 유명 스타들에 이르기까지 그들이 성적인 실수를 저지르며 사회에 엄청난 물의를 빚는 등의 일에 대한 원인을 강의를 들은 후에야 이해할 수 있었습니다.

세미나를 통해 제가 그런 문제에 자유롭게 되지 않으면 나의 후손도 그와 같은 고통을 겪게 될지도 모른다는 것을 새롭게 인식하고 우선 나의 조상들의 죄로 인해 오는 악한 영향력을 차단하고 나 자신이 잘 살도록 하여 내 후손만은 이런 삶을 살지 않도록 해야겠다는 다짐을 하게 되었습니다.

「근성치유 세미나」 둘째 날과 셋째 날에 실제로 우리 속에 있는 근성을 빼내는 실기 시간을 가졌습니다. 그 시간 저에게 환상이 보이면서 제 근성들이 빠져 나가는 것을 알게 되었고 시간이 지나면서 제 생각과 외모와 행동이 변하는 것을 보면서 확실하게 치유 받았음을 믿게 되었습니다.

또한 제 게으름의 근성이 고쳐져 이제는 적은 시간 수면을 취하면서도 열심히 일할 수 있게 되었습니다. 무능함으로 인해 시험에 계속 떨어지기 일쑤여서 자신감을 잃었었던 제가 이제는 "이겨 나갈 수 있다", "할 수 있다"라는 생각을 갖게 되었습니다. 이제는 하나님께서 지혜를 주셔서 성경 말씀도 더 잘 이해할 수 있게 되었습니다.

또 목사님의 세미나 강의를 들으면서 나는 하나님의 은혜 가운데 태어난 존재로서 하나님의 십자가 군병으로 세상을 살아야 할 분명한 사명감을 느끼게 되면서 이제는 더 이상 "왜 내가 태어났을까?" 하는 질문에 대해 고민하지 않게 되었습니다.

또한 탈모로 고민하며 움츠려 있던 제게 하나님께서 꿈을 통해, 능력기도를 통해 응답해 주시니 머리가 다시 날 수 있다는 확신과 자신감을 얻게 되었습니다. 그래서 예전에는 탈모 현상에 대해 자신감이 없어 모자를 꼭 써야 활동을 할 수 있었는데 지금은 머리를 짧게 깎고 오히려 머리를 드러내며 거리를 활보할 수 있게 되었습니다.

이제는 외모 콤플렉스에서 벗어나 전도도 하게 되었습니다. 전에는 친구만이 최고였는데 지금은 친구를 만나는 일보다 하나님의 은혜를 받는 감격으로 살게 되었습니다.

이 모든 영광을 하나님께 돌려 드리며 주님께서 원하시는 뜻대로 살 수 있도록 이끌어 주시는 김재선 목사님께 감사드립니다.

사라진 상처의 기억

심 옥 화 집사
(1기 성령의 능력교회)

🌸 50평생 동안 하나님을 모르고 산 사람이 뒤늦게라도 하나님께서 저에게 구원받을 기회를 주시고 고집스럽기 그지 없었던 저를 불러 주셔서 이렇게 행복하게 주님을 믿게 된 것에 대해 감사드립니다.

저는 예수님을 믿지 않은 채, 믿는 가정에 시집을 오게 되었습니다. 시집와서 보니 저희 시어머니 고(故) 김옥련 권사님은 항상 제게 불만이 많으셨습니다. 지금 생각해 보면 시어머님이 험한 인생을 사셔서 그러셨던 것 같습니다. 시아버님이 믿음이 없는 것은 물론이고 매일 술에 취해 사시면서 생계를 책임지지 않고 무능력하시니까 시어머니가 조금씩 일하여 얻은 수입으로 생계를 유지했다고 합니다.

그리고 슬하에 1남 3녀를 두셨는데 시아버지보다 외아들인 제 남편을 아무래도 더 많이 의지하고 사셨던 것 같습니다. 그래서 결혼 후 외아들을 빼앗긴 것 같은 생각에 저를 괜히 미워하시고 매사에 싫어 하셨던 것 같습니다. 그 바람에 저는 영문도 모른 채 신혼 초부터 구박을 받고 마음에 상처가 쌓여 가는 시집살이가 그렇게 시작되었습니다. 시어머니에게 받은 상처가 목까지 차면 억울함과 분노로 울며불며 친정 언니들을 붙잡고 토설해서 풀곤 하였지만 말할 때 뿐 집에 돌아가면 시어머니는 여전히 저를 괴롭혔고 저는 다시 스트레스가 쌓이곤 했습니다.

그렇게 세월이 흘러 시어머님께서 2003년 79세가 되던 해에 담도암으로 병원에 입원하시게 되었습니다. 입원하셔서 기력이 없을 때에도 절 힘들게 하신 것은 여전하셨습니다.

그때 전 우여곡절 끝에 교회에 다니기는 하였지만 믿음이 없는 때였습니다. 그토록 미운 시어머니였는데 막상 임종 직전 숨이 곧 넘어가는 모습을 바라보고 있노라니 측은한 마음이 들었고 또한 시어머니가 배가 몹시 아프다고 통증을 호소하여 배에 손을 얹게 되었습니다.

그때는 기도를 제대로 못할 때였기에 사도신경과 주기도문을 외우며 계속 기도를 하였는데 배에 얹은 제 손이 갑자기 찌릿찌릿하며 진동이 오더니 손에 뭐가 휘 감싸인 듯 힘이 주어지는 것이었습니다. 그렇게 한참 뜨겁게 기도하는데 갑자기 시어머니를 안아 드리고 싶은 마음이 생겼습니다. 그래서 시어머님을 꼬옥 안아 드렸더니 시어머님께서 말씀은 못하고 계셨지만 소리없이 눈물을 흘리시며 흐느끼시는 것이었습니다.

난생 처음 보는 눈물이라 당황스럽기도 하고 감동적이기도 하였는데 지금 생각해 보니 하나님께서 그때 저와 시어머니를 화해하게 하신 것 같았습니다. 그렇게 하나님께서 시어머니가 돌아가시기 전에 시어머니와의 힘들었던 관계를 풀게 한 뒤로 저는 기쁨으로 어머님을 천국으로 보내 드릴 수 있었습니다.

시어머니는 교회에서 권사님이셨지만 저를 너무나 힘들게 하셨기에 저는 교회 다니는 것에 대해 강한 거부감을 가지고 있었습니다. 그런데 제가 교회를 다니게 된 것은 평소에 제가 잘 따르고 대화를 자주 나누었던 경북 안동에 사는 큰 언니가 악한 영에 사로 잡혀 고통 받고 있다가 하나님께서 언니를 치유해 주시는 과정을 지켜보면서 하나님이 살아계심을 알게 되었고 그때부터 교회를 다니게 되었습니다.

교회를 다니면서도 어느 식당에 주방 일을 계속 하면서 교회 일보다는 세상에서 돈 버는 일에 더 열심을 내고 있었습니다.

그러던 어느 날 갑자기 주방에서 칼로 무를 썰고 있었는데 갑자기 칼을 잡은 손이 굳어 오는 것이었습니다. 얼마나 힘들었던지 무 하나 써는데 30여분이 걸릴 정도로 손에 마비가 오는 느낌이었습니다. 그때 마음속에 이러다가 다시는 주방 일을 못할지도 모르겠다는 불길한 생각이 들어오면서 더는 일을 나갈 수 없게 되어 집에서 쉬고 있을 때였습니다.

시간이 많이 있게 되어 새벽기도회에 나가서 기도해 볼까 하고 교회에 나갔는데 2~3분 기도하면 더 이상 할 말이 없어 기도를 못하게 되니까 답답한 마음에 기도원을 가던지 해야겠다고 생각하며 지내고 있던 어느 날, 큰 언니가 경북 안동에서 사는데 다니고 있는 교회에 집회가 있다며 오라고 하여 어려운 발걸음으로 안동으로 내려가 집회에 참석하게 되었습니다. 그때 강사 목사님이 바로 김재선 목사님이셨던 것입니다. 그날 집회에 참석하여 말씀에 큰 은혜를 받게 되었고 김재선 목사님께서 기도해 주시는 시간에 안수를 받고 성령의 강한 역사로 쓰러지는 체험을 하게 되었습니다.

그 후 집에 돌아와 어느 날 기도하는데 "김재선 목사가 하는 개척교회에 가라"고 하시는 하나님의 음성을 듣게 되었습니다. 그때 저는 서울에 제법 크다고 하는 교회에 출석하고 있었기에 하나님께 "제가 섬기던 교회에서 그냥 머물러 있으면 안 되겠느냐"고 했더니 "그곳에는 너 말고도 도울 사람이 많다"면서 김재선 목사님을 도우라는 것이었습니다.

그래서 김재선 목사님께서 서울에 〈성령의 능력교회〉를 개척하시는데 제가 제1호 교인으로 등록하게 되었습니다.

그때 이후로 세상에 나가서 돈을 버는 어떤 일을 할 만한 기회가 주어지지 않았고 연수원에서 주방 일을 해야 할 책임자가 필요할 때였는데 하나님께서 제 손이 마비되어 굳어져서 일을 못하게 하시더니 바로 이곳 연수원에서 이렇게 건강한 모습을 되찾아 봉사할 기회를 주셔서 감사함으로 잘 감당하고 있습니다.

저는 그렇게 〈성령의 능력교회〉에서 김재선 목사님을 모시고 행복한 신앙생활을 하고 있던 중, 교회 개척 초기 때부터 김목사님께서 세미나를 열게 되었는데 저는 그 틈바구니에 끼어 주방 봉사도 하고 세미나를 계속 들으며 훈련을 받게 되었습니다.

어느 날, 「상처치유 세미나」를 참석하고 있을 때였습니다.
김재선 목사님의 강의를 들으면서 저는 제가 예전에 시어머니
에게 받았던 상처로 인해 울컥하면서 주체할 수 없는 좋지 않은
감정이 복받쳐 올라왔습니다. 그러나 강의에 은혜를 받으며 손
에 진동이 오면서 몸이 얼어붙는 것 같은 체험을 하게 되었는
데, 이때 제가 시어머니에게 받은 상처를 치유 받은 듯 합니다.
그 후 두 번째로 「상처치유 세미나」에 참석하게 되었을 때에
는 실제로 상처를 빼내는 실기 시간에 상처가 더욱 많이 치유되
는 체험을 하게 되었습니다.
김재선 목사님이 능력을 부어 주신 보혈의 잔을 들이 마실 때였
습니다. 뱃속 깊은 곳에서부터 뜨거워지며 온몸이 뜨거움으로
휩싸이고 계속해서 흰 덩어리 같은 걸쭉한 가래를 계속 뱉어내
게 되었습니다. 두 번째 상처 빼내는 실기 시간에는 첫 번째 빼
낼 때보다 더욱 잘 빠져 나온다는 생각이 들었습니다.

세미나 후에 제일 신기하고 놀라운 일은 실제로 시어머니에게
받은 상처가 전혀 생각이 나질 않는다는 것이었습니다. 지금 생
각나는 건 어머님 이름과 그런 분이 계셨었다는 것뿐입니다. 마
치 영화의 필름이 끊어진 것처럼 시어머니에 대한 상처 부분은
알기도 어렵고 기억도 나질 않습니다. 너무 신기합니다. 그 오
랜 세월 이유도 모른채 당하고 살아왔던 억울함과 아픔과 상처
를 다 잊게 되다니…. 그 기억을 생각해 내려고 하면 머리가 깨
질 듯 아파 오고 아무리 기억하려고 해도 생각이 나질 않는 것

이었습니다. 몇 년이 흐른 지금까지도 전혀 기억이 나질 않아서 간증문을 쓰고 있는 지금 이 시간에도 시어머니에게 어떤 구박과 상처를 받게 되었는지를 쓰려고 기억을 더듬어 봐도 머리만 아플 뿐, 아무 내용도 쓸 수가 없을 정도입니다. 김재선 목사님께서 상처 치유 세미나를 강의하실 때 사람이 아닌 하나님께 토설해서 정말로 상처의 치유가 이루어지게 되면 그 결과 나타나는 현상으로 상처를 아무리 기억하려 해도 기억이 전혀 나지 않는다고 말씀 하셨는데 바로 제가 그런 것이었습니다.

제가 상처를 치유 받았다고 확신하는 또 다른 이유가 있습니다. 계속적으로 진행되는 연수원의 여러 세미나를 참석하면서 종합하여 생각해 볼 때, 상처치유는 내 뜻과 상관없이 조상으로부터 내려오는 대물림의 고통을 끊어 버리는 치유와 그런 대물림의 영향으로 인해 내가 가지고 태어나는 성격인 근성이 치유되는 것과는 다릅니다. 상처 치유는 그동안 살아오면서 외부 요인으로 인해 받게 되는 상처가 치유되는 것이기 때문에 다른 치유보다도 치유된 부분이 확실히 보이고 느껴져 확증할 수 있다는 것입니다.

제가 살면서 시어머니, 시아버지, 남편과의 관계에서 실제 받은 상처는 조상으로부터 오는 대물림의 다른 상처의 원인보다 내 자신이 살아온 삶의 기억에서 찾아낼 수 있는 부분이기에 상처 치료가 되기만 하면 본인에게 치유가 이루어졌음을 더욱 확실하게 알 수 있다는 것입니다. 대물림과 근성은 제가 직접 경험한 일이라기보다는 위로부터 내려오는 것이고 그 원인의 뿌리가 너무 깊어 기도를 통해서 하나님께서 조명해 주시지 않으면 그 원인도 알기 힘들고 치유하기도 힘드니까요.

제가 「상처치유 세미나」를 받기 전에는 시아버님에게 받은 상처도 있어서 시어머님이 돌아가신 이후에 같이 얼굴을 마주 대하고 지내기 힘들었는데 상처 치유가 이루어진 지금은 친정 아버지보다 더 가깝고 좋을 정도로 어색한 감정이 사라져 버렸습니다. 김재선 목사님께서 가르쳐 주신 능력기도를 통해 아버님을 위해 기도하니 늘 술에 찌들어 사시던 시아버님께서 술을 끊게 되었고 올해 84세가 되셨는데 교회를 출석하시면서 얼마나 믿음으로 살려고 애쓰시는지 지금은 삶의 모습이 180도 바뀌어져서 저의 가장 든든한 믿음의 후원자가 되셨답니다.
저를 바라보는 가까운 이들이나 주변의 여러분들이 한결같이 하는 얘기가 어찌 그렇게 얼굴에 미소를 잃지 않고 늘 싱글벙글 할 수 있느냐고 그 비결이 무엇이냐고 질문을 받을 때마다 나 자신에게 이루어진 상처 치유의 결과와 하나님께서 베풀어 주신 사랑과 은혜라고 밖에는 할 말이 없습니다.
믿음으로 살아가는 신앙인 중에도 배우자로부터, 부모로부터, 형제들로부터, 친구 ,이웃으로부터, 자녀로부터 받은 상처로 인해 고통을 받으며 살아가는 이들이 주위에 계시다면 〈성령사역 연수원〉의 「상처치유 세미나」에 참석하여 치유 받고 영적, 육적으로 건강한 삶을 누릴 수 있기를 소망합니다.

희한한 능력은 지금도 일어난다

노 영 심 전도사
(3기 행복한교회/서울)

바쁘게 생활하며 시간이 없다는 핑계로 기도를 등한시 하며 조금씩 기도 생활에서 멀어져 가다가 급기야 기도 줄을 놓치는 지경에까지 이르렀습니다. 그때서야 기도의 소중 함을 알게 되어 이곳저곳 다녀 보고 나름대로 기도를 회복해 보려고 몸부림을 쳐 봤지만 뾰족한 수도 생기지 않고 기도에 대한 갈급함으로 힘들어서 괴로워하고 있을 때였습니다.

그때 저와 함께 말씀을 공부하시는 어떤 목사님으로부터 내가 가는 곳이 있는데 거기서는 다른 곳에서 공부를 하는 것보다 훨씬 놀라운 말씀을 가르쳐 주시고 한번만 들어봐도 세미나 값을 빼고도 남는다는 말을 듣게 되었습니다. 그러시면서 그곳에서 기도 훈련 과정도 있는데 허리에 벨트를 매고 능력기도를 한다면서 우리들이 기도하는 것과는 전혀 다르고 많은 사람들도 이 기도를 한다며 한번 가 보자는 것이었습니다.

그 말을 들은 저는 귀가 번쩍 뜨여서 "그러면 이번에 가실 때 저도 데려가 주세요"하고 부탁을 드렸습니다. 그러자, 그 목사님은 자기가 하는 것이 있어서 두 가지 것을 한꺼번에 하게 되면 힘이 들어서 할 수 없으니 기다렸다가 끝나면 데려가 주겠다는 말씀을 하셨습니다. 그리고 몇 개월이 지나서 같이 연수원에 오게 되었습니다.

〈성령사역연수원〉에 와서 보니 기도 훈련 세미나와 연계하여 각종 다양한 세미나가 진행되고 있었는데 생각과 기대보다는 너무 엄청난 영의 세계를 열어 가도록 이끌어 주는 연수원의 프로그램에 매료되어 지금까지 2년여 열심을 다하여 참석하고 있습니다.

연수원에 온 저는 여러 가지 세미나에 거의 빠짐없이 다 참석을 하고 있던 어느 날 「희한한 능력 세미나」에 대한 광고를 듣게 되었습니다. 희한한 능력이라고 하니 조금 생소한 느낌이 들었지만 세미나 중에 희한한 능력이 나타나서 병 고침을 받은 분들이 계시다는 말씀을 듣고 반신반의하는 마음으로 「희한한 능력 세미나」에 참석하게 되었습니다.

「희한한 능력 세미나」는 "하나님께서 바울에게 희한한 능을 행하게 하셔서 심지어 사람들이 바울의 몸에서 손수건이나 앞치마를 가져다가 병든 사람에게 얹으면 그 병이 떠나고 악귀도 나가더라"는 사도행전의 말씀에 따라 하나님께서 우리를 통해서도 희한한 능력의 은사를 부어 주시니 바울 사도처럼 우리도 희한한 일을 행하는 능력을 알게 되고 체험할 수 있는 세미나였습니다.

이외에도 성경에서 희한한 일들이 많이 있음도 배우게 되고 주의해야 할 점도 배우게 되었습니다. 실기 시간에는 예수님께서 물이 포도주로 변하게 하는 희한한 일을 행하신 것처럼 목사님께서 컵의 물이 포도주로 바뀌도록 능력을 부어 주신 후 컵의 물을 다 마시게 했습니다. 그 중 몇 사람은 실제 포도주 냄새를 맡기도 했고, 어떤 사람은 물이 포도주 색깔로 변하기도 했습니다. 또 실제로 마시니 취해서 몸을 못 가눌 정도의 사람도 있었습니다.

다른 희한한 능력 실기로는 사도바울이 했던 것처럼 손수건에 능력을 부어 상대방의 아픈 부위에 얹으면 치유가 되기도 하였습니다.

강의를 하시는 김재선 목사님께서도 이 능력을 행하게 되기 전까지는 이 은사에 대해 강하게 부정을 해 왔던 분이셨는데 체험을 하시고 나니 하나님께서 주신 이 은사를 인정하게 되었다고 하셨습니다.

저는 일상생활을 하는 가운데 잘못된 생활 습관 때문인지 아니면 몸 건강관리에 소홀한 탓인지 잘 알 수는 없지만 언제부터인지 골반이 조금씩 아프고 늘 몸 상태가 구름 낀 날씨처럼 찌뿌듯하고 피곤하더니 급기야 허리까지 문제가 생겨 일을 할 수 없는 지경이었습니다. 골반이 쑤시고 아프면 허리도 같이 아프게 되어 활동하기가 힘이 드는가 하면 걸어 다닐 때에도 다리가 얼마나 무거운지 그 고통은 이루 말할 수가 없었습니다. 때때로 교회 일로 밖에 나가 다닐 때면 발걸음이 얼마나 무거운지 너무나 힘이 들어 견딜 수가 없어서 집으로 돌아오곤 했습니다. 집안에 있는 시간이 많아지자 몸 상태가 더욱 나빠져 짜증을 내게 되고 집안 식구들을 힘들게 했습니다.

나중에는 식구들의 권유로 병원을 찾게 될 정도였습니다. 병원에서 진찰을 하니 골반도 안 좋고 디스크라는 결과가 나왔습니다. 의사 선생님의 말씀에 우선 약을 7일분만 써 보고 효과가 없으면 다시 오셔서 정밀 검사를 받으시고 결과가 나오는 대로 수술을 해야 한다고 했습니다.

그 후 며칠이 지나서 「희한한 능력 세미나」에 참석하게 되었습니다. 이론 강의가 끝나고 실기 시간이 되어 김재선 목사님께서는 참석한 모두를 일어나게 하시더니 "조금 후에 각자 자기의 손에 능력을 붓는 기도를 하여 아픈 부위에 대고 무슨 증상이 있더라도 믿으세요" 라고 말씀하셨습니다. 그리고 목사님께서 먼저 모두를 향하여 기도를 하시고 각자의 손을 앞으로 내밀게 하시더니 자기가 자기 손에 능력을 붓는 기도를 하게 하시고 아픈 부위에 대게 하되 몸에 바싹 대지 말고 조금 띄운 채 대고 기도하라고 하셨습니다.

세미나 참석한 모든 사람들은 자기 손에 능력을 부어서 아픈 부위에 갖다 댔습니다. 저도 역시 능력을 붓는 기도를 하여 아픈 부위에 대고 조금 시간이 흐르자 몸에 증상이 나타나기 시작했습니다. 저는 목사님의 말씀처럼 가만히 있었더니 손을 대고 있는 부위가 점점 아파 오고 나중에는 수술한 것처럼 아팠습니다.

세미나를 마치고 나서도 그 고통은 조금 남아 있었습니다. 제 생각에는 세미나를 마치고 나면 증상이 바로 없어져 아프지 않을 줄 알았는데 계속 통증이 남아 있어서 생활하는데 불편할 정도였습니다. 앉고 싶어도 앉아 있을 수가 없었고 때로는 양반 다리를 하고 앉으면 고통이 조금 나아질까 싶어 앉아 보아도 여전히 통증은 계속되었습니다.

아픔이 너무 심해져 다시 병원을 찾아 접수하려고 접수처로 향할 때 문득 목사님께서 하신 말씀이 생각이 났습니다. 무슨 증상이 있으면 호전되고 있는 반응이므로 믿으라고 하셨는데 기다려 보지 못하고 병원을 찾았을까 하는 마음에 접수를 하지 않고 다시 집으로 돌아왔습니다. 처음엔 아픔을 참으면서 집안일을 했는데 어느 순간 내가 골반과 허리가 더 이상 아프지 않고 치료가 되었다는 사실을 알게 되었습니다. 할렐루야!

그렇게 앉고 싶어도 제대로 앉을 수가 없고 걷고 싶어도 걸을 수가 없었던 그 고통이 「희한한 능력 세미나」에 참석하여 고침을 받고 이전보다 더 건강하게 되었습니다.

이렇게 병 고침을 받고 난 이후 기도를 하고 있는데 지방에서 일을 하고 있는 제 남편 집사님에게서 전화가 걸려 왔습니다. 가슴이 너무 아파서 고통스러워 죽겠다는 내용이었습니다. 너무 당황하여 어찌 할 바를 모르고 있을 때 「희한한 능력 세미나」에서 능력을 부어 기도 받았던 생각이 나서 "지금부터 제가 시키는 대로 하세요" 라고 말하고 남편의 손에 희한한 능력을 붓는 기도를 하여 아픈 부위에 손을 얹어 보라고 했습니다.
그리고 전화를 끊고 계속 기도를 하고 있는데 남편에게서 전화
가 걸려 왔습니다. 남편은 이제 하나도 안 아프니 걱정 말라고
했고 통증이 없어져 아무렇지 않으니 기도를 그만 해도 된다고
말해 주었습니다. 그때 제 남편은 하나님의 은혜로 고침을 받아
건강하게 믿음 생활을 잘 하고 있습니다.

「희한한 능력 세미나」을 받고 바울이 희한한 능력을 행하였
다는 내용을 성경을 통해 이해하게 되었고 실제로 세미나의 실
기 시간에 저의 아팠던 몸의 고통을 치료받게 되었으며 남편도
그렇게 제가 능력을 붓는 기도를 통하여 고쳐지는 것을 보고 너
무 놀라웠습니다.
이렇게 신비한 치유의 세계를 체험하고 하나님이 역사하시는
무한한 세계에 다시 한번 감탄을 하면서 이 모든 영광을 하나님
께 돌립니다.

황금색(?) 바나나의 비밀

진 홍 선 목사
(5기 효자교회/전주)

🌺 23년전 교회를 개척하여 초년 목회를 시작하게 된 이후 안정적으로 자리가 잡히는 목회를 하다가 7년 전 두 번째로 개척하라는 하나님의 강권하심 속에 등 떠밀려 또 개척을 하게 되었습니다.

막막한 가운데서 시작한 개척이었지만 하나님의 은혜 가운데 성전 건축을 할 수 있는 350여 평의 신축 부지를 신 개발지 주변 지역의 요지에 마련하게 되었습니다.

교회의 분위기가 형성되어 가면서 2년 전에 건축을 시도하려고 기도하며 준비하고 있을 때, 건축 헌금을 할 만한 몇 가정이 술렁이더니 교회를 옮기겠다고 하는 것이었습니다. 성전 건축이 자기들에게 부담으로 크게 작용된 듯 보였습니다.

그 가운데 한 가정은 사업이 잘 되기만 하면 수억의 건축 헌금을 할 의사를 내비치기도 했는데 찬바람 불듯 그렇게 사라져 가고 말았습니다.

지금껏 목회하며 세 차례의 건축을 했는데 그때마다 잘 추진되어 은혜롭게 마무리 되었습니다. 그런데 이런 당혹스런 일은 처음 당하는 일이라 목회자인 제 자신이 도리어 상처를 받아 몹시 힘든 상황에 직면하게 되었습니다. 성전 건축이라는 큰일을 앞두고 배가 암초에 걸린 듯 목회가 갑자기 무기력해지며 힘을 잃어 가고 있었습니다.

그렇게 서너 달이 지나가고 있던 2009년 8월, 신문 지면의 광고를 보고 〈성령사역연수원〉을 찾게 되었습니다.
기도를 제대로 할 수 없는 지경에까지 이르렀기에 기도의 회복을 통해 목회의 새로운 활력을 되찾고자 하였습니다.
"특수부대식 기도특공훈련"이라는 세미나 제목이 위협적이기도 했지만 무기력해 있는 저의 관심을 끌기에 충분하였습니다. 가야 할지 말아야 할지 선택할 여지없이 하나님께서 마지막 한 길을 열어 놓고 그 길로 인도하시는 강력한 손길을 느꼈습니다. 무료 세미나에 참석한 후 바로 「특수부대식 기도훈련 전문반」 5기에 등록하여 기도 훈련에 임하기 시작했습니다. 너무나 몸이 힘든 기도 훈련이었지만 2~3개월이 지나면서부터 4시간 정도의 기도를 하여도 힘 있게 할 수 있다는 것이 신기할 정도로 허리의 능력기도에 관심이 깊어지며 기도의 세계에 새로운 눈을 떠가기 시작하였습니다. 무기력하던 몸과 마음과 목회도 활기를 조금씩 되찾아 가고 있었습니다.
그렇게 시작된 기도 훈련과 함께 매주 3일간씩 말씀과 각종 은사에 관련한 세미나의 프로그램이 연수원에서 진행되고 있는 것을 알게 되었습니다.

사실 기도 훈련 과정을 통해서 목회의 회복을 기대하고 연수원에 발을 디뎠는데 세미나에 대한 설명을 듣고 보니 매주 진행하고 있는 각종 세미나의 내용들이 영의 세계를 이해하고, 보고, 알 수 있도록 도와주어 능력기도를 더욱 힘 있게 할 수 있다는 참석에 대한 동기부여가 충분 하였습니다.

매주 열리는 3일간의 세미나에다가 목요일 「기도훈련 전문반」까지 하게 되면 서울에서 4일, 지방에서 3일의 시간을 보내야 했으므로 생활환경의 주객이 전도된 상황이었습니다. 게다가 아내와 함께 지방에서 서울까지 매주 왕래하기에는 시간과 경비도 만만치 않았지만 이것저것 따지고 생각할 겨를이 없었습니다.

지금 주어진 이 고비와 어려움을 극복해야 했으며 더 이상 무기력한 상태에 빠져 있을 수만은 없었기 때문에 돌파구가 필요했습니다.

모든 세미나마다 들으면 들을수록 어쩌면 그렇게 원장이신 김재선 목사님 한 사람 속에서 마치 퍼내도 계속 끊임없이 나오는 샘물처럼 말씀이면 말씀으로, 은사면 은사로, 기도면 기도로 어느 한 분야도 빠짐없는 세미나의 주제의 다양성이 마치 "목회 종합 백화점"에 와 있는 듯한 생각이 들 정도였습니다.

신학교에서도 배울 수 없었던 폭넓은 그런 내용들, 여느 세미나에서도 들어 볼 수 없었던 깊이 있는 그런 내용들, 더군다나 이론뿐만 아니라 실기와 실전을 겸하여 하는 연수원의 아주 특별한 세미나는 국내 어디에서도 아니 세계 어디에서도 찾아 볼 수 없는 최고의 세미나라고 해도 과언이 아닐 것이라 감히 평가하고 싶습니다.

2009년 11월 초에 「금식기도 및 건강회복 세미나」를 한다는 안내문이 눈에 번쩍 띄는 것이었습니다.
그 이유는 몇 년 전에 장기금식을 힘들게 한 적이 있던 터라, 이번 세미나에서 하는 금식은 물 금식이 아닌 야채(주스) 금식을 한다고 하는데 이런 금식도 금식이라고 말할 수 있는 것인가 하는 생각이 들었습니다. 또한 야채(주스) 금식과 소금물 요법으로 몸속의 독소가 빠져 나가고 숙변이 제거되고 체질이 바뀌며 건강을 회복하여 새롭게 몸을 만들 수 있다고 강조하는 것이 흥미롭게 와 닿았기 때문이었습니다.
월요일 첫날 세미나 장에 들어서자마자 그때부터 연수원에서 짜여진 프로그램대로 소금물과 주스와 야채 등을 시간에 맞추어 제공받고 그 사이사이 시간에는 금식과 관련된 내용의 이론 강의와 실례들을 설명하는 시간을 갖게 되었습니다.

많은 사람들이 금식하면 많은 체력 소모가 있는 것으로 알고 있지만 사실은 그렇지 않고 금식하면 처음에는 위속에 있는 음식이 비게 되므로 배고픔을 느끼게 되나 그것은 배고픔이 아니라 공복감이라는 사실을 세미나를 통하여 새롭게 인식하게 되었습니다.

금식하여 외부로부터 영양 공급이 일단 중단되면 저장 되어 있는 영양분을 소화하기 시작하는데 그동안 과잉 공급되어 축적된 단백질을 소화하고, 종기나 종양을 소화하며, 콜레스테롤을 소화한다고 합니다. 그래서 장기 금식하면 어떤 종양이든지 크기가 작아지든지 없어지는 것은 당연한 결과라는 것입니다.

또한 숙변을 제거하고 몸의 독소를 빼내는 과정인데, 우리 혈액 속의 염도와 같은 소금물과 그 외의 방법을 통하여 위와 장벽에 붙어 있던 불순물을 제거하고 숙변이 떨어져 나오게 되며 독소가 빠져 나오므로 신진대사가 원활해져서 체질이 개선되고 건강이 회복된다는 것입니다.

연수원에서 3일간의 프로그램으로 진행되는데, 저는 다니엘이 열흘 동안 왕의 진미를 먹지 아니하고 채식과 물을 먹었을 때, 왕의 진미를 먹는 모든 소년보다 더욱 윤택하여 나아 보였다고 (단1:15) 한 사실을 상기하면서 계속 이어 10일간 금식을 하기로 하였습니다.

연장하여 야채(주스) 금식을 하고자 했던 것은, 몇 년 전부터 '궤양성 대장염' 이라는 질병으로 먹기는 잘 먹지만 뱃속이 늘 편치를 못하였고 이 세미나에 참석하는 날까지도 배변 활동이 불규칙할 정도로 불편함이 이만저만이 아니었기에 이번 기회에 꼭 건강을 회복하고 싶어서였습니다.

궤양성 대장염은 아직 치료약이 개발되지 않아 병원의 약을 기대할 수는 없던 터에 「금식기도 및 건강회복 세미나」 에 깊은 관심을 갖게 될 수밖에 없었습니다.

이렇게 야채(주스) 금식이 10일간 진행되는 동안 뱃속이 많이 편해졌고 배변 활동이 약간씩 원활해지는 것을 느낄 수 있었습니다.

정상적인 사람은 황금색 변을 바나나 굵기 정도로 보아야 한다고 김재선 목사님은 설명하였는데, 저는 이 질병으로 인하여 몇 년 동안 이런 정상적인 변을 한 번도 본 적이 없을 정도로 심각한 편이었습니다. 병원에서는 이 질병이 계속 진행되면 '대장암'으로 까지 번져 갈 가능성이 있다고 하였습니다.

그러나 본격적인 신체의 반응이 나타난 것은 보름 쯤 경과 하였을 때입니다.

지금껏 50여년 넘게 살아오면서 숙변을 제거해 본 사실이 단 한 번도 없었기에 어떤 신체의 변화와 반응이 일어날까 몹시 궁금했는데, 이날 변기에 앉았을 때 김재선 목사님이 설명하던 대로 짙은 암갈색의 숙변이 변기에 너무 가득 차는 바람에 저 자신도 놀랄 정도였습니다.

그 후에 변의 색깔이 점점 좋아지더니 20여일이 지났을 때에는 정말 그렇게도 학수고대했던 황금색 변을 바나나 굵기로 보기 시작한 것입니다.

이런 불편한 건강 여건의 환경에 처해 보지 않은 사람은 저의 이런 말들이 이해가 되지 않을 것입니다. 그 이후로 얼굴빛도 밝아지고 몸도 가벼워지고 피곤이 많이 사라지게 되었습니다. 지금까지 10개월의 시간이 흘러가고 있지만 신체에 아무런 이상 증후가 발견되지 않고 건강상태도 확실하게 달라진 변화를 느낄 수 있어서 너무 좋습니다.

병원에서조차 약물로도 잘 치료가 되지 않았던 질병을 이 짧은 기간에 적은 비용으로 고침 받게 된 것은 먼저는 하나님께서 베푸신 은혜와 사랑이요, 다음으로는 연수원 원장 김재선 목사님의 건강에 대한 해박한 지식으로 짜임새 있게 계획하신 금식 프로그램의 효과였다고 분명히 말씀드릴 수 있습니다.

끝으로 야채(주스) 금식을 하게 되면 체력이 떨어지지 않기 때문에 생수 금식할 때에 힘이 없어서 기도를 마음껏 하지 못하는 문제도 해결되어 영적으로는 힘 있게 기도할 수 있어서 좋고 육적으로는 몸이 새롭게 만들어지며 건강을 회복하는 일거양득의 효과가 있습니다.
주위에 있는 분들 가운데 숙변제거, 몸의 독소제거, 체질변화, 건강회복 등의 관심을 갖고 있다면 「금식기도 및 건강회복 세미나」에 참석하여 놀라운 체험을 하게 되시기를 적극 권장하는 바입니다.

고혈압, 고칠 수 있다

박 인 구 목사

(1기 호암교회/논산)

저는 태어날 때부터 천성적으로 약하게 태어났고, 잔병 치레도 퍽이나 많이 했기 때문에 중학교에 입학 하면서 부터 운동을 시작했습니다. 건강하게 살아가기 위한 목적이었 습니다. 반드시 건강하게 살아야 한다는 강박관념 때문에 태권 도, 유도, 권투, 역도, 기계체조까지 닥치는 대로 운동에 전념한 결과 후천적이긴 하지만 몸을 건강하게 만들 수 있었고 저는 젊 은 시절 건강만은 남에게 뒤지지 않는다고 자부하고 있었습니 다.

몸도 특별하게 아픈 곳도 없었고 비록 후천적으로 만들어진 건 강이긴 하지만 내 건강은 하나님이 지켜 주시고, 저 자신도 건 강은 자신 있다고 생각하며 살아 왔기에 주위 사람들이 아프다 고 하면 왜 아픈지 이해가 안 될 정도였습니다. 청년 시절부터 웬만한 병이 걸려도 병원에 안 가고, 약도 먹지 않는 것이 습관 이 되어서 지금도 웬만하면 양약을 먹지 않는 편입니다.

그러던 중, 목회를 하게 되면서 1998년 7월에 대덕교회로 부임하게 되었고 대덕교회로 부임한 지 6년 되던 해, 가까이 지내는 목사님 댁에 들렀다가 몸에 힘이 없고 어지러워서 잠깐 누워 있는데, 갑자기 숨을 쉬기도 어려울 정도로 힘이 들었습니다.

그 목사님이 나를 보고 아무래도 이상하다며 혈압을 재 보자고 해서 쟀더니 혈압이 200 가까운 높은 수치로 나왔습니다. 혈압이 너무 높으니 빨리 혈압약을 먹지 않으면 언제 쓰러질지 모른다고 걱정을 하시는 바람에 반 강제로 한방병원을 가서 정밀 검사를 받게 되었고, 진단 결과 '본태성 고혈압', 그것도 '중증 고혈압' 이라는 통보를 받았습니다.

한의원에서 처방해 주면서 치료의 방법으로 두 가지를 제시 했는데, 하나는 식이요법을 하면서 운동을 하는 것이었고, 다른 하나는 환으로 된 혈압약을 계속 복용하는 것이었습니다.

3개월 동안 환으로 된 혈압약을 복용하였고 야채 위주 식사와 하루 8km씩 산길을 걷기를 마다하지 않고 하였습니다. 물론 식이 운동 요법을 하는 동안은 혈압이 내렸지만, 바쁜 일이 있어서 조금이라도 건너뛰면 도로 마찬가지였습니다. 이것은 혈압을 고치는 것이 아니라 더 이상 오르지 않게 하는 방편일 뿐이었습니다. 스트레스라도 받을라치면 혈압이 오르기는 마찬가지였습니다.

야채 위주의 식사를 하다 보니 영양 공급의 불균형으로 인해 몸에 비타민A가 과다 축적이 되어 비타민A를 파괴시키는 약을 복용하는 에피소드도 있었고 혈압을 내리는데 좋다는 말만 듣고 곰보 배추, 시룻대, 해바라기, 은행, 질경이, 뽕나무 뿌리껍질 등 여러가지 민간요법도 써 보았는데, 혈압을 내리는데 어느 정도는 도움은 되었지만 근본적인 해결책은 아니었습니다.

2006년 3월 논산호암성결교회로 부임하면서 교회 건축이 시작되었고, 건축하는 동안 정신없이 바쁘게 생활하다가 보니 채식 위주의 식이요법과 운동을 할 수가 없었기에 양약 처방을 받아 6개월 동안 혈압약을 먹게 되었는데, 혈압약을 먹으면 수치가 150이 나오고, 먹지 않으면 180은 그냥 나오게 되었습니다.

그러던 중, 〈성령사역연수원〉에서 하는 여러 세미나 프로그램 중에 하나인 「금식기도 및 건강회복 세미나」를 2009년 4월에 참석하게 되었습니다. 혈압을 고치려고 참석한 것이 아니라, 몸이 자꾸 무겁고 힘들고 피곤하다고 느껴 독소를 제거하고 싶은 마음이 생겨서 참석하였습니다.

고민은 건강회복 세미나를 참석하려면 혈압이든, 당뇨든 약을 끊어야 한다는 것 때문에 약간 망설이기는 했지만, 약을 끊고 참석하기로 하였습니다.

참석하는 첫날부터 혈압약과 커피를 끊었고 연수원의 프로그램대로 10일을 금식하면서 혈압이 서서히 내리기 시작하여 거의 정상으로 돌아온 듯 하여 재보니 140 정도로 안정된 수치가 나왔습니다. 그 이후로는 받아 놓은 혈압약을 휴지통에 다 버렸고, 1년이 지난 지금까지도 혈압약은 먹지 않고 있습니다. 저에게는 연수원에서 하는 세미나가 건강을 회복하고 몸의 균형을 바르게 하는 계기가 되었습니다. 고혈압도 고칠 수 있다는 확신을 가지게 되었습니다.

금식 세미나 이후에 얼굴 혈색도 좋아졌고, 몸도 너무 가벼워졌고, 배변도 편하게 하고 변의 색깔도 황금색으로 바뀐 것도 특징으로 꼽을 수 있습니다. 무엇보다 피곤을 별로 느끼지 않는다는 것입니다. 하루 평균 3시간 자고도 생활하는데 피곤함을 전혀 느끼지 않습니다.
그 이후로 우리 가족의 식단도 야채 위주로 다 바뀌었고, 가끔 집에서 주스 금식을 하게 되면 온 가족이 다 동참합니다.

날마다 가족들의 건강을 지켜보면서 좀 더 빨리 금식 세미나를 하지 못한 것을 안타깝게 여기며, 다른 목회자들에게나 성도들에게도 시간만 나면 금식 세미나(독소 다이어트)의 유익함을 권하고, 자랑하면서 내가 체험한 금식 세미나의 경험을 나누고 있습니다. 우리 집 큰 아이는 몸이 안 좋았는데 고등학교 때 신체 나이가7세라는 측정 결과가 나올 정도로 상태가 매우 안 좋았습니다. 그때는 몸이 늘 차다고 했었는데, 요즘은 몸에서 열이 난다고 말할 정도로 건강이 회복되어 활발하게 생활하고 있습니다. 큰 아이는 저와 함께 열렬한 주스 금식 마니아가 되어 집에서 만든 주스든, 녹즙이든, 야채든, 뭐든 가리지 않고 잘 먹습니다.

저는 〈성령사역연수원〉에서 하는 「금식기도 및 건강회복 세미나」를 통해서 혈압을 내리는데 결정적인 도움을 받았고 혈압이 정상으로 돌아와 건강에 대한 염려가 사라졌습니다. 무엇보다 기쁜 것은 현대 의학의 도움이 아닌 야채 위주의 주스 금식으로 고혈압을 고쳤다는 것에 대한 감사와 고마움을 무엇으로 보답해야 될지 행복한 고민을 하고 있습니다. 요즘도 아침마다 혈압을 체크하는데 110/76, 118/85, 120/90 이란 정상적인 혈압 수치가 나오고 있습니다.

아무튼 〈성령사역연수원〉에서 하는 「금식기도 및 건강회복 세미나」가 50대 중반인 저에게 건강을 되찾게 해준 참으로 유익한 프로그램임을 다시 한 번 강조하면서 금식 세미나(독소 다이어트) 전도사로서의 삶을 살아가리라 다짐해 봅니다.
우리 가족의 건강을 회복시켜 주신 하나님께 감사드리고, 이 프로그램을 만들기 위해 수고하시고 건강에 대한 자신감을 가질 수 있도록 도와주신 〈성령사역연수원〉 원장님이신 김재선 목사님께 그리고 연수원 직원들에게 진심으로 감사드립니다.

영의 세계 세미나

다양한 천사의 활동

신 예 은 목사

(한사랑교회/울산)

〈성령사역연수원〉으로 저의 발걸음을 인도하신 것은 저를 너무도 잘 아시기에 한 번 더 단련하고 빚으시사 더욱 가치 있는 주님의 도구로 만들어 사용하기 위한 보이지 않는 하나님의 손길이 있었음을 고백하며 하나님께 감사드립니다.

영혼의 갈증을 가지고 말씀에 목말라 있던 터에 김재선 목사님과의 만남은 하나님의 축복의 통로였습니다. 세미나의 모든 시간마다 "정말 이것이야!" "맞다, 맞어!" 하며 기쁨과 감격의 외침이 연발 터져 나왔습니다. 그래서 목사님이 하시는 한 말씀이라도 놓칠 새라 맛있게 받아먹다 보니 어느새 주체할 수 없는 영적인 부요함을 느끼게 되었습니다.

저는 이곳 연수원에서 베풀어 놓은 하늘 양식을 마치 물고기가 물을 만난 것같이 시간 시간 먹게 되어 너무나 행복한 사람 가운데 하나라는 생각이 듭니다.

각 과목별로 분류된 세미나는 「특수부대식 기도특공훈련 세미나」, 각종 은사 세미나와 「금식기도 및 건강회복 세미나」,

「종교의 영의 세계 세미나」, 「대물림의 고통을 끊는 세미나」, 「근성치유 세미나」, 「성경 파노라마 기본반 세미나」 등으로 진행되고 있습니다. 모든 과목이 다 가치 있고 귀한 것들이지만 그중에서 「천사론 세미나」를 통해서 제가 받은 은혜를 소개하려 합니다.

「천사론 세미나」는 강의 내용이 상당한 분량이었습니다. 천사는 영으로 계신 하나님의 지음을 받은 영물입니다. 천사는 영의 세계와 육의 세계를 넘나들며 활동하므로 우리들과는 밀접한 관계가 있습니다. 하나님을 섬기며 사는 사람들을 도와주는 존재들입니다. 천사는 영물이지만 사람들에게 보이기도 합니다. 아브라함과 모세, 엘리야 등 하나님의 사람들은 영의 세계를 맛보고 천사들과도 만나며 개인적으로 영의 세계를 누리며 살았습니다. 기도와 천사와의 관계는 뗄 수 없는 밀접한 관계로 활동하고 있었습니다. 제가 「천사론 세미나」를 들으면서 예전에 제가 기도할 때에 저에게도 천사가 방문했던 적이 있었음을 이제야 알게 되었습니다.

무엇보다도 천사론 강의를 들으면서 좋았던 것은 알지 못했던 천사의 세계를 볼 수 있는 렌즈를 주셔서 성경을 읽을 때에 천사의 활동들이 보이게 된 것입니다. 천사의 모습도 여러 모양이 있음을 알게 되었고 그 힘도 차이가 있음을 알게 되었습니다. 특히 가변하는 천사의 세계에 대한 말씀을 들을 때는 제 머리를 탁 때리는 충격을 주기도 했습니다. 가변하는 천사의 세계가 있다는 말씀을 들으면서 이것이 또한 기도의 세계와도 연관이 있다는 것을 알게 되었습니다. 사람들이 기도의 응답을 받고 한 일이 형통하지 못하고 망하는 경우를 보면서 그 이유를 알지 못했는데 가변하는 천사의 세계에 대한 말씀을 듣고 그 해답을 찾게 되었습니다.

모세의 수건이 걷히면 그리스도가 보인다고 하신 말씀처럼 성경의 천사 부분에 대해 제게 덮혀 있던 수건이 걷혀 하나님께서 일하시는 것이 보이게 되었습니다. 또한 유의할 점으로 우리가 천사들을 대하는 태도도 가르쳐 주셨습니다. 천사는 우리들이 두려워할 대상도 아니고 우리 인간이 숭배하거나 함부로 무시할 대상이 아니라는 것입니다.

그리고 천사는 하나님의 거룩한 영물이기 때문에 하나님의 영의 세계인 꿈의 세계에서도 활동한다는 것입니다. 그래서 천사의 세계를 알기 원한다면 꿈의 세계에서 천사가 어떻게 활동하고 있는가를 반드시 알아야 한다고 말씀하셨습니다.

기도와 천사의 활동은 밀접한 관계를 가지고 있어서 하나님은 하나님의 백성이 기도하면 그 기도를 응답하시고 문제를 해결하기 위해 천사를 파송하셔서 문제를 해결하신다는 것입니다.

홍해 앞에서 이스라엘 백성들이 애굽 군사의 추격에 부르짖을 때에 이스라엘 백성들 앞에서 행하던 천사가 뒤로 옮겨 애굽 진과 이스라엘 진 사이에 서니 밤에 이스라엘 진영은 광명이 있고 애굽 진영은 구름과 흑암이 있게 하여 홍해를 무사히 건너게 하였습니다. 또 감옥에 갇힌 베드로의 석방을 위해 교회의 성도들이 간절히 기도할 때 하나님께서 주의 사자를 보내 쇠사슬에 매여 있던 베드로를 석방시켰습니다.

그 외에도 다양한 천사의 활동을 말씀하셨는데 천사의 활동 영역이 이렇게 광대한 줄은 미처 생각지 못했었는데 목사님의 세미나 강의를 통해서 분명하게 알게 되었습니다.

「천사론 세미나」를 통해 저는 천사에 대한 지식이 체계화되는 유익을 얻게 되었습니다.

저는 기도원 성격을 띤 교회에서 사역을 하였습니다. 그런고로 매일 예배를 정기적으로 드렸습니다. 저의 사역은 예배가 중심축을 이루었습니다. 예배가 많으니 자연히 설교할 기회도 많았습니다. 어떤 때는 설교하는 것이 부담이 될 때가 있습니다. 하지만 이것은 거룩한 부담이라 생각합니다. 설교를 통하여 하나님께서 성도들을 친히 만지심을 볼 때 그 기쁨과 보람은 그 무엇과도 바꿀 수 없었습니다. 그래서 성경에 관한 제 시야를 열수만 있다면 그보다 더 좋은 은혜는 없는 것이라 생각했습니다. 저는 이러한 마음으로 말씀을 사모하고 있었는데 〈성령사역연수원〉의 「천사론 세미나」를 통해 제 좁은 시야가 좀 더 넓어졌음을 느끼게 되었습니다.

저를 여기까지 인도하신 하나님께 감사드리며 김재선 목사님께도 감사드립니다.

내 영혼의 산소(O_2)

이 영 주 원장

(임마누엘기도원/천안)

❧ 저와 막역한 오랜 친구 목사가 2년여 전부터 갑자기 연락이 잘 안 되고 소식을 전해 들을 수가 없어서 몹시 궁금해 하고 있던 중에 알고 보니 〈성령사역연수원〉이란 곳에서 은혜를 받으며 공부하고 있음을 알게 되었습니다.

도대체 그곳이 어떤 곳이기에 이토록 친구의 친분도 끊고 연락도 두절된 상태에서 공부에 전념하고 있는지 혹시 이단이나 잘못된 사이비에 빠진 것은 아닌가 하며 걱정하던 차에 마침 〈성령사역연수원〉에서 「특수부대식 기도특공훈련 세미나」가 있다는 소식을 접하고 친구 목사의 행적도 추적해 볼 겸 그곳이 어떤 곳인지 직접 알아보리라 마음을 먹고 세미나에 참석하게 되었습니다.

그런데 김재선 목사님의 강의는 목사님 본인이 직접 체험하신 것으로 성경에서 조금도 벗어남이 없는 능력 있는 말씀인 것을 알 수 있었습니다. 목사님 입에서 나오는 한 말씀 한 말씀이 도리어 나의 영혼을 깨우면서 새로운 도전과 희망을 갖게 되었습니다. 저도 모르게 목사님의 강의에 푹 빠져 들어갔습니다.

그래서 제 친구 목사가 갑자기 연락이 끊긴 이유를 알게 되었습니다. 연수원에 와서 보니 친구 목사가 연수원을 통해 깊은 은혜를 체험하였음을 보게 되었습니다. 왜 친구가 연락을 두절했는지 알게 되면서 친구가 이단에 빠졌을 거라는 오해도 풀리고 친구가 연락을 안 준 섭섭한 마음도 씻을 수 있었습니다. 저 또한 친구에게 도전받아 이후로 연수원의 세미나에 계속 참석하게 되었습니다.

「성경 파노라마 기본반 세미나」와 「성경 파노라마 전문반」, 「금식기도 및 건강회복 세미나」, 「예언은사 세미나」에 참석하여 교육을 받으면서 저의 영혼이 날로 새로워지며 새 힘을 얻을 수 있었고, 또한 새로운 소망이 넘치는 희열을 느끼게 되고 뜨거운 물속에서 목욕하고 나온 것처럼 시원한 느낌을 받으면서 매주 월요일이 기다려지는 입장이 되었습니다.

드디어 새로운 월요일, 「거룩한 영의 세계 천사론」 세미나에 참석하게 되었습니다. 사실 저는 성령론에는 관심이 참 많았으나 거룩한 영물의 세계인 천사론에 대해서는 막연한 지식만 가지고 있었을 뿐이었습니다. 천사에 대한 이론이나 지식이 부족하여 잘 몰랐으나 「천사론 세미나」를 통해 천사에 대한 많은 영의 지식을 가질 수 있었습니다. 세미나 내용이 너무 좋았기에 그 일부를 간략하게 소개하고자 합니다.

성령론과 천사의 세계는 하나님의 영의 세계를 이해하는데 중요한 위치를 차지하고 있습니다. 그렇기에 하나님의 영의 세계는 성령론과 천사의 세계를 통해 명쾌하게 알 수 있습니다. 성령론만 알고서는 하나님의 영의 세계를 다 이해할 수 없는데 그것은 하나님의 영의 세계에서 하나님의 명령과 뜻을 따라 천사가 활동하고 있기 때문입니다.

하나님을 믿는 사람들은 천사에 대하여 관심이 참으로 많으나 천사에 대한 명확한 이론이나 지식이 부족하여 천사에 대해 막연한 개념만을 가지고 있는 경우가 많습니다. 저 또한 「천사론 세미나」를 듣기 전까지는 그들과 다를 바가 없었습니다. 「천사론 세미나」를 통하여 천사의 활동은 특정 시대에서만 있었던 것만이 아니라 지금도 영의 세계와 육신의 세계를 넘나들며 활동하고 있음을 알게 되었습니다. 천사는 하나님의 뜻과 명령에 따라 움직이고 있으며 우리의 믿음의 삶과 아주 밀접한 관계가 있다는 것도 알게 되었습니다.

김재선 목사님은 강의를 통해서 우리가 천사에 대해 바로 알기 위해서는 영의 세계 출발부터 자세히 알아야 거룩한 하나님의 영물인 천사의 세계를 명쾌하게 알 수 있다고 말씀하셨습니다. 천사의 세계는 천지창조 이전의 세계이며 육신의 세계가 아니고 하나님의 영의 세계에서 활동하며 육신의 세계에 영향을 미치고 있기 때문에 천지창조 이전의 세계를 먼저 이해해야 된다는 것입니다.

천지창조 이전의 영의 세계를 이해하는 것은 영의 세계의 문을 열고 들어가는 가장 기초적인 작업이며 성경 연구에서 가장 선행되어야 할 일이라고 생각됩니다. 천지창조의 사건은 시간적으로 영의 세계에서 엄청난 일들이 일어난 후에 일어난 일입니다.

그렇기에 천사론은 천지창조 이전의 세계를 먼저 알아야 명쾌하게 알 수 있는 것입니다. 천지창조 이전의 세계에 대해서는 「성경 파노라마 기본반 세미나」에서 다루기 때문에 천지창조 이전의 세계를 알려고 하면 반드시 이 세미나를 들어야 합니다. 전능하신 능력으로 영원부터 스스로 계신 하나님은 영의 세계에서 천사를 창조하셨습니다. 천사는 하나님의 명하심으로 지음을 받고 하나님께서 다스리시는 모든 세계에서 활동하는 존재로 지음을 받았습니다. 천사는 사람이 가지고 있는 능력과는 비교가 안될 정도로 능력을 가졌지만 하나님처럼 편만하게 존재 하지는 않습니다. 그래서 천사의 수가 셀 수 없을 만큼 무수히 많은 것입니다.

하나님께서 천사를 창조하신 목적 가운데 하나가 천사는 부리는 영으로 구원 얻을 후사들을 섬기기 위해 만들었다는 것입니다. 천사를 만들 때 아직 하나님께서 구원 얻을 후사를 지으시지 않으셨지만 하나님은 놀라운 계획을 가지고 계셨습니다. 이 강의를 들으면서 하나님의 위대하심을 찬양하지 않을 수 없었습니다. 그리고 하나님의 은혜가 너무도 감사했습니다.

제가 천사론 강의를 듣기 전에는 천사라고 하면 천사장인 가브리엘, 미가엘, 루시엘과 그 휘하에 수를 셀 수 없는 천천만만의 천사들이 있다는 것만 알고 있었는데, '여호와의 사자'의 세계가 있다는 사실을 새롭게 알게 되었습니다. 그리고 성경에는 세 천사장의 활동보다는 '여호와의 사자'의 활동이 훨씬 더 많이 나온다는 사실을 세미나를 통해서 새롭게 알게 되었습니다. 천사론 강의를 들으면서 천사에 대한 저의 영의 지식은 더해져 갔고 이론적으로 하나하나 정립할 수 있어서 너무 좋았습니다.

저처럼 창조 이전의 세계와 거룩한 영물인 천사의 세계를 모르고 계신 분이 있다면 「천사론 세미나」를 통해서 천사의 세계를 이론으로 체계화하고 김재선 목사님께서 실제 영적인 세계에서 체험한 천사의 세계까지 경험할 수 있는 기회를 같이 나눌 수 있으면 좋겠습니다.

저는 요즈음 성령 충만한 가운데 성령님의 인도하심과 천사가 나를 보호하고 도와주고 있다는 사실에 날마다 감격하면서 새 힘을 얻어 사역을 감당해 나가고 있습니다.

〈성령사역연수원〉 원장이신 김재선 목사님을 통하여 살아서 역사하시는 하나님의 생명의 말씀과 영의 세계를 알아 가면서 나의 영혼에 "은혜의 산소(O_2)"가 공급되어 무지한 신앙생활에서 벗어나 날마다 새로운 배움 속에서 은혜의 생활을 할 수 있도록 인도하신 하나님께 감사드리며 김재선 목사님께도 감사드립니다.

적을 알아야 적과 싸워 이긴다

김 영 만 목사
(2기 혜본교회/김포)

🌻 무수히 많은 세미나가 있고 또 기도 훈련 하는 곳도 많
이 있으나 저를 사랑하셔서서 〈성령사역연수원〉과 원장
이신 김재선 목사님을 만날 수 있는 은혜를 주신 하나님께 감사
드립니다.

저는 오랫동안 영적인 갈급함으로 삼각산의 기도처를 홀로 10
여년을 다니면서 하나님의 은혜를 맛보고자 나름대로 열심을
내어 보았으나 하나님께서 그것을 허락하지 않으셨습니다.

그런 가운데 개척교회를 하면서 저를 누르는 목회에 대한 답답
함이 있어서 이런 문제들을 해결하고자 여러 세미나에 부지런
히 참석해 보았지만 기대와는 달리 남는 것은 허무함 뿐이었습
니다.

그러던 중 제 아내가 국민일보 광고란 하단부에 실린 「특수부
대식 기도특공훈련 무료세미나」광고를 보여주며 한번 가보면
어떻겠느냐고 하기에 별 기대감 없이 그냥 한번 참석하기로 하
고 미리 예정된 다른 세미나가 있어서 첫날인 월요일 늦게야 참
석을 했습니다.

〈성령사역연수원〉 입구에 들어서자 현관 벽면에 붙어있는 연수원에서 실시하고 있는 여러 세미나 안내 내용을 볼 수 있었고 내가 바라던 세미나의 주제가 여러 가지 눈에 띄었습니다.

세미나에 참석한 사람들이 많아 앉을 자리가 없어서 식당에 겨우 자리를 마련하여 첫날을 보냈고 그렇게 수요일까지 참석하면서 생각이 정돈되었습니다.

각종 세미나와 기도훈련 전문반 과정을 마치고 「지리산 실전기도훈련」에 참가하게 되었습니다. 준비 과정에 많은 어려움이 있었지만 설레는 맘으로 기다리게 되었는데 산 기도에 대해서 너무나 익숙하였는데도 지리산에 대한 기대감은 사뭇 달랐습니다. 주님의 은혜를 사모하며 지리산을 향하여 출발하는 날 아침, 마치 운동선수가 경기에 참여하는 것 같은 긴장된 순간이었습니다.

산에서 기도하는 것은 별로 새롭지 않았지만, 그래도 큰 은혜를 받을 것 같은 느낌이 들었고 첫째, 둘째, 셋째 날이 지나면서 넷째 날은 너무 긴장도 되고, 한편으로는 마음이 평안하기도 하여 오늘 밤에는 정말 하나님을 향해 간구해 보자고 다짐하며 일행들과 함께 산에 올랐습니다. 그리고 저에게 이런 귀한 은혜와 시간을 주심을 하나님께 감사하면서 기도를 시작한 그날 밤 정확한 시간은 모르지만, 1시간 이상 지난 후쯤, 주님은 저에게 큰 은혜를 베푸셨습니다.

저에게 열정을 주셨고, 그렇게도 사모했던 영안을 열어 주시고,

귀를 열어 주신 것이었습니다. 밤이 새도록 표현할 수 없는 하나님의 세계와 어느 때까지는 말하지 말라는 말씀과 함께 저에게 비전을 주셨습니다. 기도를 인도하시는 김재선 목사님의 말씀과 동시에 환상이 열어지며 알게 되는 은혜가 임하기 시작하여 저는 너무도 좋은 나머지 시간가는 줄도 모르고 동이 틀 때까지 열심히 기도했습니다.

「지리산 실전기도 훈련」을 마치고 집에 돌아온 저에게 주님을 만났느냐고 아내가 물었습니다. 목이 쉬어 말은 못하고 대신 빙그레 웃으며 고개를 끄덕이니 아내의 표정도 밝아졌습니다. 하나님의 종이 주인 되시는 하나님을 뵈옵는다는 것은 꼭 필요한 일이며 이런 은혜가 있음으로 강력한 목회의 소망과 열정을 품게 되는 것 같습니다. 하나님과 교통하는 시간을 통하여 은혜롭고 평안함과 소망과 자유함을 느끼게 한 「지리산 실전기도 훈련」의 기억은 개인적으로 주님 앞에 서는 날까지 잊을 수 없는 감사의 시간이 될 것입니다. 저는 연수원에 발을 디딘 이후 목회의 비전이 확장되게 되었고 새로운 소망을 갖게 되었습니다.

〈성령사역연수원〉에서 실시하는 다양한 세미나 중에서 특히 「마귀론 세미나」는 사악한 영의 세계를 깊이 깨닫게 되는 귀한 은혜의 시간이었습니다.

목회하는 저에게 마귀론은 성령론에 버금갈 정도로 너무나 중요한 세미나였는데 「성령론」으로 하나님의 세계를 알 수 있듯이 「마귀론」으로 사단의 영적인 세계를 알 수 있습니다. 우리는 성령님의 인도하심과 사단 마귀의 방해의 공존 속에서 사역하고 있습니다. 하나님의 뜻을 이루려고 하면 반드시 마귀를 분별해서 영적 전쟁에서 승리해야 하며 그것은 저의 목회에 대단한 유익을 주고 있습니다.

사단, 마귀, 귀신과의 싸움은 영적인 싸움의 최전방 사역입니다. 그런데 대부분의 사람들은 이 싸움을 하지 않고 있는데 능력이 부족해서 싸우지 못하고 분별력이 부족해서 싸우지 못하며 또 담력이 없어서 싸우지 못하는 경우가 많습니다.

주님은 분명히 "마귀를 대적하라 그리하면 너희를 피하리라"(약4:7)고 말씀하셨는데 사단과 대적하여 싸우는 사역자들을 이단시하여 비방하는 경우가 있습니다. 이것은 귀신의 정체를 덮어 주는 것이 되고 맙니다.

21세기는 영적인 시대이기 때문에 육신의 병이 문제가 아니라 정신적인 질환이 더 문제인데 앞으로는 영적인 질환(귀신들림)이 더 많아질 것입니다. 우리의 싸움은 혈과 육의 싸움이 아니라 하늘에 있는 악한 영들과의 싸움이기에 사단은 우리의 최대의 적인 것이 분명합니다.

하나님을 믿는다는 것은 마귀를 대적한다는 것이요 믿음으로 승리했다고 하는 것은 마귀와의 싸움에서 승리했다는 증거입니다. 그런데 기독교인들이 마귀를 이기는 것이 아니라 마귀에게 쩔쩔매고 다닌다면 문제이지 않겠습니까? 마귀의 세계를 안다는 것은 영적인 싸움을 바로 할 수 있는 중요한 영적인 지식이며 적을 알아야 적과 싸워 이길 수 있습니다.

「마귀론 세미나」는 우리의 최대 적인 사단의 세계에 대해 정확하게 알게 해주는 세미나로서 그 내용으로는 마귀의 뜻, 마귀의 특징, 마귀가 하는 일, 귀신의 침입과 사로잡힘의 과정, 점령당한 자를 분별하는 법, 마귀의 역사, 마귀를 추방하는 방법 등의 이론과 실제 사역 등 사악한 마귀의 세계를 다양하게 알게 해주는 세미나였으며 더욱 심각하고 중요하게 느낀 것은 목회자인 저 자신에게도 마귀의 역사가 나타날 수 있다는 것을 알게 되었습니다.

성령의 역사와 마귀의 역사를 분별할 수 있다는 것은 참으로 놀라운 일입니다. 세미나를 통하여 자신의 옛날 일들, 현재의 모습들, 많은 성도들과 다른 사람들의 영적 상태를 분별할 수 있게 되었다는 것입니다. 더구나 사역자는 영 분별하는 능력이 반드시 필요합니다. 마귀는 우리의 마음을 통하여 침입하는데 잠복단계와 활동기를 거쳐 완전 점령기에 이르게 됩니다.

마귀론을 듣기 전에는 사람과의 관계에서 그냥 성격이 그래서, 상처가 있어서, 몰라서 그렇다고만 생각했는데 마귀의 하는 일과 정체를 알고 나니 사람이 하는 것이 아니라 마귀가 그 사람의 마음속에 들어가 역사하고 있음을 알게 되었습니다.

이전에는 하나님의 은혜와 통치 속에 살아가면 아무 일이 없을 것으로만 생각했는데, 마귀의 정체를 알고 나니 우리가 사역하는 것이 결코 쉬운 일이 아님을 깨닫게 되었습니다. 마귀는 지금 어느 곳에서나 역사하고 있는 것을 볼 수 있으며 저 자신도 마귀에게 사용될 수 있음을 깨닫고 사역자로서 강력히 대비하는 영력을 키워 나가고 있습니다.

「마귀론 세미나」에 참석한 이후 저의 마음의 눈이 열려 무슨 사건이든지 상대방과 대화하거나 상담하는 중에 성령의 역사인지 악한 영의 역사인지를 분별하는 영적 진단을 즉시 할 수 있게 되었습니다.

저는 지금 목회를 하고 있지만 아직 훈련 중에 있으며 「천사론」과 「마귀론」을 통해 영물들에 대한 영의 지식을 가지고 말세에 마귀들의 도전을 강력히 섬멸하는데 담대함이 생겼습니다.

「마귀론 세미나」는 마귀의 세계에 대한 영적인 지식뿐만 아니라 실제로 마귀에게 사로잡힌 자를 분별하여 대처하는 방법과 마귀를 추방하는 방법까지 아론과 실기를 겸한 목회 사역에 꼭 필요한 실제적인 세미나입니다.

저는 이 세미나를 통하여 온 세상 모든 곳에서 역사하는 마귀의 활동을 알게 되었고, 모든 사람을 호시탐탐 노리는 마귀의 정체를 발견함으로써 목회 사역에 많은 도움을 얻게 되었습니다.

우리의 사역은 영적 싸움 입니다. 적을 알아야 준비해서 승리할 수 있습니다. 저는 많은 동역자들이 「마귀론 세미나」를 통하여 마귀의 세계를 깨닫고 분별하여 사역에 자신감을 가지고 대처해 나갈 수 있는 능력자들이 다 될 수 있으면 좋겠습니다.

"돌"의 놀라운 영의 세계

김 정 현 목사
(6기 사곡교회/거제)

먼저 하나님께 영광을 돌립니다.

제가 〈성령사역연수원〉을 알게 된 것은 기도에 대한 갈급함 때문이었습니다. 2009년 8월 중순경에 친분이 있는 목사님과 대화하다가 「특수부대식 지리산 실전기도 훈련」을 최근에 다녀왔다고 하면서 〈성령사역연수원〉에서 실시하는 「특수부대식 기도특공훈련 무료세미나」가 있으니 한번 참석해 보라고 했습니다. 국민일보의 광고를 보고 즉시 전화를 걸어 12차 무료세미나에 등록을 하고 참석하여 김재선 목사님의 인도로 기도를 하고 보니 기도에 능력이 있다는 느낌이 들면서 확신이 생겼습니다.

「특수부대식 기도훈련 전문반」 5기 모집 안내를 듣고 기도 훈련을 받고는 싶었지만 매주 거제도에서 서울을 왕래해야 하는 부담이 앞서 망설이다가 한 달에 한두 번 정도 단기 세미나를 선택하여 참석하기로 했습니다.

「특수부대식 기도특공훈련 세미나」와 「16시간 집중기도훈련」에 참석하면서 기도 훈련을 받아야겠다고 결단하게 되어

「특수부대식 기도훈련 전문반」 6기에 등록하여 목요일마다 거제도에서 서울까지 왕복 10시간을 투자하며 16주간의 기도 훈련을 받고 수료하였습니다.

이렇게 전문반의 능력기도와 더불어 여러 세미나를 들으면서 본격적으로 훈련에 임하게 되었습니다.

지난 2010년 1월말, 두 주간에 걸쳐 진행된 「종교의 영의 세계 세미나」는 저의 영의 눈을 뜨게 만든 감동적인 세미나였습니다.

종교라는 말을 많이 듣고 말해 왔지만 '종교의 영의 세계' 라는 말은 생소하기만 했습니다. 특히 종교의 영의 세계를 이해하는 가장 기본적인 내용이 "너희가 결코 죽지 아니하리라" "너희 눈이 밝아지리라" "하나님과 같이 되리라" 는 말씀이라는 사실에 더욱 놀랐습니다.

하와가 뱀의 미혹을 받아 선악과를 따먹은 내용은 무수히 들었고 설교도 해 왔던 내용이지만 여기에서 '종교의 영의 세계'가 나오게 되었다는 것은 제게 신선한 충격이었습니다.

사단은 선악과를 먹으면 영원히 죽지 않는다고 거짓말을 했습니다. 그런데 선악과를 먹은 인간이 죽게 되자 죽지 않는 방법을 제시했는데, 사단이 만든 종교를 믿으면 영원히 산다는 것입니다. 그러나 사단은 종교를 만들어 하나님의 영의 세계와 비슷한 방법으로 계속해서 사람들을 영원한 죽음에 이르게 하고 있습니다. 죽음이란, 종교를 통해서 나온 영적인 원리이고, 죽음을 이기고 영원히 사는 것도 종교를 통해서 나온 영적원리입니다. 이것이 '종교의 영의 세계' 입니다.

「종교의 영의 세계 세미나」는 하나님의 세계와 사단의 세계를 동시에 보게 하는 눈을 열어 주고 분별할 수 있게 합니다. 성경에서 이 두 세계를 동시에 볼 수 있다는 것은 놀라운 일이 아닐 수 없습니다. 그래서 종교의 영의 세계를 듣기 전에 먼저 기본적으로 「천사론 세미나」와 「마귀론 세미나」를 들으면 종교의 영의 세계를 더 잘 이해할 수 있게 됩니다. 하나님의 세계에서 일하는 '천사의 세계'와 타락한 천사인 '사단의 세계'에 대해서 알아야 한다는 것입니다.

저의 경우 「마귀론 세미나」를 듣고 「천사론 세미나」를 들은 후 「종교의 영의 세계 세미나」를 들으니 양쪽의 세계를 명확하게 구분을 하며 들을 수 있게 되고 종교의 영의 세계를 더욱 깊이 있게 들여다 볼 수 있어 성경을 보는 새로운 눈이 열리게 되었습니다. 또한 종교의 영의 세계를 통해 사단의 전술을 알 수 있게 되어 기도할 때에도 매우 유용합니다.

종교의 영의 세계에 대한 김재선 목사님의 강의 가운데 특별히 "돌의 영의 세계"에 대해서 제가 은혜 받았던 내용을 간략하게 소개하겠습니다.

성경에는 많은 "돌"의 이야기와 돌과 관련된 사건들이 기록되어 있습니다. 야곱은 돌베개를 베고 자다가 사닥다리가 하늘에 닿은 꿈을 꾸었으며 다윗은 뜨인 돌로 골리앗을 쳐 죽였습니다.

여호수아는 요단에서 가져온 열두 돌을 길갈에 세웠고 바친 물건을 취한 아간을 돌로 쳐 죽이라고 했으며 간음하다 현장에서 붙잡힌 여인을 돌로 치라고 했습니다. 이것은 "돌"의 놀라운 영의 세계가 있다는 것을 의미합니다.

기독교뿐만 아니라 불교와 무속 신앙에 이르기까지 돌은 영적인 깊은 관계가 있음을 알 수 있습니다. 그렇기에 하나님을 믿는 사람이라면 돌을 통해 나타난 종교의 영의 세계를 볼 수 있어야 합니다.

"돌"은 분명히 예수 그리스도를 예표하고 있습니다. 그래서 "시온에 둔 돌을 믿어야 부끄러움을 당하지 않고 급절하게 되지 않는다"(사28:16)고 했습니다. 이는 돌을 믿어야 급절하게 되지 않는 영의 세계가 있다는 것입니다.

사단도 이것을 이용하여 사람들로 하여금 돌을 믿게 만듭니다. 불상을 돌로 만들어 돌을 믿게 하고 민간 신앙에서는 동네 뒷산에 있는 돌을 신으로 섬깁니다. 무속 신앙인들은 큰 바위 앞에 촛불을 켜 놓고 제사를 지내고 돌 앞에서 기도를 합니다.

하나님은 다듬지 않은 돌로 단을 쌓아 그 위에 하나님께 드리는 번제를 드리라고 했습니다. 다듬지 않은 돌로 단을 쌓으라는 것은 돌로 예표된 예수 그리스도의 육체에 손상을 입혀서는 절대 안된다는 것을 말씀하고 있는 것입니다.

더 나아가 예수 그리스도께서 철기에 의해 그 육체가 손상을 받으실 것을 아셨기에 다듬지 않은 돌로 단을 쌓으라고 말씀하신 것입니다.

사단을 섬기는 사람들도 자연스럽게 다듬지 않은 자연석으로 단을 쌓아 자신들이 섬기는 신에게 제사를 지냅니다. 사단의 종교의 세계는 지금도 다듬지 않은 돌로 단을 쌓게 하고 있습니다. 그것은 우연히 그렇게 하는 것이 아니라 하나님께서 다듬지 않은 돌로 단을 쌓고 그 위에 번제를 드리라고 하셨기 때문에 제 것처럼 흉내를 내고 있는 것입니다.

또 사단은 하나님께서 단을 쌓을 때 철기로 다듬지 아니한 돌로 단을 쌓으라고 하신 것을 정면 도전하여 정반대 방향으로 다듬은 돌을 만들어 제사를 지내게 합니다. 이것은 장차 사단이 하나님께 정면 도전하여 예수 그리스도의 육체에 철기를 댈 것을 분명하게 드러낸 것입니다.

"돌"에 대한 강의를 듣고 나서 감탄하지 않을 수 없었고, 세상이 온통 돌로 가득 차 있다는 것을 새롭게 인식할 수 있었습니다. 전에는 무심코 보았던 돌을 이제는 관심을 가지고 보게 되었습니다. 돌에 대한 영의 눈이 떠졌다고나 할까요. 무덤 앞의 비석이나 돌로 만든 기념품 등을 볼 때도 새로이 보게 되었습니다. 돌에는 놀라운 '영적 세계의 비밀'이 숨겨져 있었습니다. 그런데 저는 「종교의 영의 세계 세미나」를 듣기 전까지는 그것을 잘 알지 못했습니다. 눈이 가려져 있었기 때문에 보고도 볼 수 없었던 것이지요. 하지만 「종교의 영의 세계 세미나」는 그 가려진 눈을 뜨게 만들어 주었습니다. 돌의 영의 세계를 아는 것은 아무에게나 허락된 축복이 아니지만 저는 「종교의 영의 세계 세미나」를 통해 이 축복을 받았습니다.

세미나를 통해 "종교의 영의 세계"는 "영의 세계의 최고의 정점"이라는 것을 알게 되었습니다. 또한 사단의 전술은 종교의 영의 세계에서 나오는 것이며 지금도 사단은 종교의 영의 세계의 방법을 그대로 적용하고 있기 때문에 목회자인 우리는 반드시 종교의 영의 세계에 대해 알아야 함을 깨달았습니다.

또한 '종교의 영의 세계' 내용이 무려 2천 가지 이상 되기에 앞으로 우리가 「종교의 영의 세계 세미나」를 통해서 이러한 영의 세계를 심도있게 공부해 나가야 할 것으로 생각합니다.

특히 목회자들은 종교의 영의 세계를 알게 되면 성경을 해석함에 있어서 더욱 깊이 있게 말씀을 보게 됩니다. 왜냐하면 성경 말씀 중에는 종교의 영의 세계를 알아야 해석이 가능한 말씀들이 있기 때문입니다. 마치 꿈에 대해 알지 못하면 성경이 기록하고 있는 꿈의 세계를 이해할 수 없는 것과 같습니다.

하나님의 종교의 영적 세계를 이용하여 마치 자신의 세계인 것처럼 속이는 사단의 영적 세계를 보아야 성경을 바로 볼 수 있다는 목사님의 말씀은 저에게 큰 도전이 되었습니다.

모든 것이 하나님의 세계에서 나왔는데 그것을 잘못 알고 사단의 세계에서 나왔다고 생각하고 그들의 것으로 여기며 거부하는 잘못을 저지르고 있었습니다.

이러한 무지를 보시고 하나님이 얼마나 탄식하실까요?

돌이켜 보면 김재선 목사님을 만나서 제가 훈련받게 된 것이 하나님의 은혜임을 고백하지 않을 수 없습니다.

〈성령사역연수원〉에 처음 참석할 때만 해도 훈련을 받기 위해 매주 거제도에서 서울을 왕래해야 한다는 것이 엄두가 나질 않았고, 순간순간 어려운 고비도 많았지만 주님은 지금까지 계속해서 훈련을 받을 수 있도록 은혜를 베풀어 주셨습니다.

이렇게 훈련 받고 나니 지금은 더욱 확신을 갖게 되고 기도는 물론 사역에 있어서 더욱 기쁨과 자신감으로 목회에 임하게 되었습니다.

오늘의 제가 있기까지 인도해 주신 주님께 모든 영광을 돌리며 또한 저를 지도해 주신 원장 김재선 목사님께도 깊은 감사를 드립니다.

이름 때문에 삶이 새로워진 딸

옥 윤 진 목사

(1기 창성교회/청양)

저희 가정은 증조모님께서 기독교로 개종하여 예수 믿기 시작하여 후손들이 신앙생활을 하게 되었다고 전해 들었습니다. 저는 믿음의 가정에서 자란 덕분에 어렸을 때부터 예수를 알고 믿게 되었고, 12살이 되었을 때 한국 교회에 성령 운동이 활발하게 일어날 무렵 하나님께서 각종 은사를 체험케 하셨습니다.

저희 부부는 94년도에 농촌 교회에서 첫 사역을 시작하여 오늘에 이르게 되었는데 모든 것이 부족하고 연약한 상태였기에 영성 훈련이 필요하던 때라 성령 사역을 주제로 하는 집회가 있으면 거리를 마다하지 않고 전국 어디든지 달려가 강의를 듣고 훈련을 받았습니다. 하지만 제 마음의 갈증을 채워 줄 수는 없었습니다.

이렇게 지내던 중 우연한 기회에 〈성령사역연수원〉을 알게 되었고 2005년 7월에 훈련을 받기로 결심하고 훈련을 받기 시작하였습니다. 그러나 막상 훈련 받으며 사역을 하려고 하니 사단의 방해가 이만저만이 아니었습니다.

목회하면서 생활비도 제대로 받지 못하여 생활이 점점 어려워져 의식주 문제가 타격을 받자 온갖 잡념이 저희를 사로잡아 버렸습니다. 사악한 영들이 집중적으로 우리들의 발목을 잡고 매사를 지배하려 달려들었지만 하나님께서 우리를 끝까지 생명 걸고 기도하도록 이끌어 주셔서 우리의 대적 원수와의 영적전투에서 승리하게 하셨습니다. 저희들은 〈성령사역연수원〉에서 「기도특공훈련」을 시작으로 「성령사역 아카데미 과정」과 「16시간 집중기도훈련」, 「꿈해석 전문반」 등의 전 과정을 은혜 중에 이수하게 되었습니다.

지금까지 신앙생활을 하며 목회를 해 왔지만 〈성령사역연수원〉에 와서야 제대로 된 기도 훈련이란 것을 처음 받게 되었습니다. 이 훈련을 받게 된 것이 얼마나 기쁘고 감사한지 모르겠습니다. 지금까지 "기도하세요! 주여! 아버지! 불로, 불로!"하는 말은 수없이 들어왔지만 기도하는 법을 제대로 배운 적은 없었습니다. 기도의 세계에 대해 말씀해 주시고 직접 끌어주고 경험하게 한 곳은 이곳 연수원에 오기 전까지 어느 곳에도 없었습니다. 세상에서 어느 누가 기도의 영의 세계를 이토록 가르쳐 주며 지도해 줄 수 있겠습니까?

〈성령사역연수원〉이 구의동에 있을 때에 저희 부부는 경북 상주의 산간벽지에서 약4시간이나 소요되는 연수원까지 한 번도 지각 · 결석을 해 본 일이 없을 정도로 성심을 다해 훈련을 받았고 저희들이 제대로 훈련받아야 되겠다는 결심은 지금도 변함이 없습니다. 그때부터 지금까지 쉽게 방법만 배워야겠다는 인간적인 생각을 버리고 훈련에만 집중하게 되었습니다.

연수원에서 훈련을 받지 않았다면 '내 인생이 어떻게 되었을까? 이 황금 같은 시간을 내가 어떻게 허비하고 있었을까?' 생각만 해도 아찔합니다.

우리 부부는 특히 「대물림의 고통을 끊는 세미나」와 「상처치유 세미나」, 「종교의 영의 세계 세미나」에서 강하게 영적인 도전을 받게 되었습니다. 세미나를 들으면서 나의 문제와 자녀를 위해서 기도를 하는데, 이름의 세계에서 진단해 볼 때 아이의 인생에 문제가 있었음을 알게 되었습니다. 제 둘째 딸의 이전 이름은 〈옥선희〉였는데, 아이가 출생했을 때 제 아버님이 손녀가 너무나 예쁘다고 시장을 다녀오시다가 작명소에 들러 '선희' 라는 이름을 지어 오셔서 호적에 등재하라고 하셨습니다. 그때만 해도 이 이름으로 인해 악한 영이 일하는 일들이 일어날 줄 상상조차 못했었습니다.

산촌에서 목회하기 전에도 선희는 유치원에 다니면서 세 번씩이나 대 수술을 하게 되었고, 그 이후 10년 이상이나 항생제를 밤낮으로 먹어야 했을 정도로 이루 말할 수 없는 고통을 겪어야 했습니다. 그리고 학교생활을 제대로 적응하지 못해 선생님과 아이들에게 놀림감이 되곤 하였습니다.

그 이후에 주소를 바꿔가며 거처도 옮기면서 살아 보았지만 고통은 쉽게 사라지지 않았습니다. 게다가 딸에게 중이염, 편도선

염, 축농증 등 합병 증세가 오기 시작하면서 시력 감퇴, 냄새를 맡지 못하고 저녁에는 깊은 잠을 자지 못하는 증세가 심해지기 시작하였습니다. 그 이후로 10년 정도 통원 치료, 항생제 복용, 주사 등을 통해 치료를 해 보려 했지만 여전히 고통은 계속 되었습니다. 우리 부부는 왜 하나님이 우리를 깊은 구덩이로 몰아넣으시며 이런 고통을 주시는지 알 수 없다고 불만을 토로하며 탄식했었습니다.

딸 아이의 질병과 고통을 통하여 서원했던 목회자의 길을 걷기 위해 92년에 야학으로 신학교에 입학하게 되었고 만7년 만에 기독교 대한 성결교회에서 목사 안수를 받게 되었습니다.
신기하게도 신학교에 입학하면서 딸 아이의 병이 호전되기 시작하는 것이었습니다.
연수원에서 열심히 훈련을 받고 있을 무렵 '종교의 영의 세계'에 대한 강의를 듣게 되었는데, 그때 이름이 얼마나 중요한지 알게 되었습니다. 그래서 저는 자녀 이름의 개명에 대해 김재선 목사님과 상담을 하였습니다. 1개월이 지나 목사님께서 목요일 아카데미 강의를 마치시고 야밤에 산골에 있는 저희 교회에 오셔서 주님께서 딸의 이름을 주셨다며 '예수님이 원하는 사람이 되라'는 뜻을 가진 〈예원〉이라는 이름을 적어서 저희에게 건네주셨습니다.

성경에 나오는 인물 중에서도 하나님께서 이름을 바꿔 주신 사람들이 많이 소개되고 있는데, 아브람이 아브라함으로, 사래가 사라로, 야곱이 이스라엘로, 요셉이 사브낫바네아로, 다니엘은 벨드사살로, 하나냐는 사드락으로, 미사엘은 메삭으로, 아사랴는 아벳느고로, 시몬이 베드로로, 사울이 바울로 개명된 경우입니다.

그 후 딸이 대학교에 입학을 하게 될 즈음에 정부에서 개명 시행 법령이 선포·시행되어 우리는 대구지법 상주지원에 개명신청을 하고 20일 만에 개명 허가에 대한 판결 통지문을 받게 되었습니다.

현재 저희 딸은 건강이 회복되어 정상인과 같이 생활하고 있으며 〈성령의 능력교회〉에 출석하며 건국대학교 병원에서 근무하고 있습니다. 이제는 직장에서도 인정받고 이름대로 주님이 원하시는 사람으로 쓰임 받는 것을 볼 때 감사할 따름입니다. 이름 두자 바꿨는데 제 자녀의 인생이 달라졌습니다. 할렐루야!

저는 지금까지 '종교의 영의 세계'가 있다는 것을 알지 못했습니다. 〈성령사역연수원〉에서 세미나를 통하여 처음으로 듣게 되었습니다. 종교의 영의 세계를 통해 하나님의 세계와 하나님의 것을 자기 것인 양 사용하는 사단의 세계에 대해 알 수 있는 통찰력과 분별력을 소유하도록 해야 합니다. 그리고 우리 목회자들은 반드시 종교의 영의 세계를 알아야 하고 성령의 능력을 받아서 목회를 해야 될 줄 믿습니다.

연수원에서 지도하시는 김재선 목사님을 만난 후 제 인생이 달라졌고 목회관이 확실하게 달라졌습니다. 강의마다 충실하게 경청하고 도전을 받고 있으며 귀가해서는 교회에서도 연수원에서 훈련 받은 대로 계속 능력기도를 하고 있습니다.

주님 앞에 내 자신을 내려놓고 내 방법을 벗어 버리고 주님을 전적으로 의지할 때 주님이 역사하셨습니다. 그렇다고 목회가 일사천리로 잘 되거나 하루 아침에 교회가 급성장하는 것은 아니었습니다. 그렇지만 저는 지금도 주님의 때를 기다리며 꾸준하게 훈련받고 있습니다.

이제 자신감을 가지고 힘차게 생활하는 자녀들을 볼 때 어려운 과정을 이기고 여기까지 달려올 수 있도록 함께 하신 주님께 감사와 영광을 돌리며 김재선 목사님께도 감사드립니다.

예비된 예배 처소

황 호 상 목사

(1기 복있는교회/전주)

🌸 사람이 세상을 살아가면서 몇 번의 전환기를 맞게 되는데 저의 경우는 김재선 목사님을 만나면서 인생의 대 전환기를 맞게 되었고 삶 자체가 완전히 바뀌는 계기가 되었습니다.

세상살이의 여러 힘든 일이 겹쳐 어려움 가운데 처하여 이러지도 저러지도 못하고 사면초가가 된 것 같이 답답하게 지내고 있을 때, 뜻하지 않게 김재선 목사님을 만나 상담을 하는 가운데 요사이 목사님들 중에도 이렇게 영적으로 깨어 있는 분이 있었구나 하는 생각이 들 정도로 영적 깊이와 폭과 넓이가 대단한 분이라는 것을 직감할 수 있었습니다.

다른 많은 목사님들과는 달랐고 제 인생의 영적인 부분들을 정확하고 분명하게 진단해 주시면서 말씀해 주시는데 듣고 있는 순간 김재선 목사님에 대한 확실한 신뢰와 믿음이 갔기에 주저하지 않고 훈련을 받아야겠다고 결심했습니다.

곧 바로 〈성령사역연수원〉에 올라와 「특수부대식 기도특공훈런 세미나」에 등록하여 고도의 차원인 기도의 영의 세계에 도전하며 훈련에 임하기 시작했으며 훈련에 참석하면서 영의 지식이 확실하게 정리되어 갔습니다. 계속하여 매주 연수원에서 진행되는 세미나 하나하나가 저를 위해 예비된 듯 꼭 필요한 주제의 세미나들이 이어지고 있었습니다.

세미나마다 어느 것 하나 귀하지 않은 것이 없었고 영의 원리가 명확하게 정립이 되어 무지하였던 영적인 부분들을 깨우치기에 충분하였습니다. 그동안 세미나에 참석하며 배운 내용들이 현실에 그대로 적용이 되면서 놀라운 역사가 나타나기 시작하였고 또 많은 체험과 기적 같은 일이 일어나기 시작하였습니다.

그러면서도 무엇인지 모를 영적인 부분에 많은 부족함과 허전함을 느끼고 있었습니다. 이러한 상황 속에서 영의 최고의 경지라고 할 수 있는 「종교의 영의 세계 세미나」를 한다는 얘기를 듣게 되었고 기대하는 마음으로 참석하게 되었습니다.

세미나의 제목이 매우 생소한 용어라 이해하기가 어려울 줄 알았는데 듣고 보니 영의 놀라운 세계를 말씀하고 있어서 너무 흥미롭고 유익했으며 세미나의 내용은 대략 이런 것이었습니다.

하나님께서 세상을 창조하시고 인간을 창조하여 하나님을 섬기도록 하셨는데 하나님을 섬기는 것이 바로 "종교"입니다. 하나님을 섬기는 종교는 영생을 주는 것입니다. 그러나 사단은 인간으로 하여금 죄를 짓게 하여 세상 가운데 사단의 영역을 확보하여 사단의 세계를 이루어 놓았습니다. 하나님은 선악과를 먹지 말라 하셨는데 사단은 그것을 먹게 하여 사람을 영원한 죽음에 빠뜨렸습니다. 사단은 인간이 하나님을 섬기지 않고 자신을 섬김으로 영원히 죽기를 원합니다. 이것을 "종교의 영의 세계"라고 합니다. 이 관계 속에서 세상의 모든 종교가 만들어져 있습니다.

이 종교에서 하나님께 예배 드리는 법, 예물 드리는 법, 죄, 의, 구원, 영생, 부부, 부모와 자녀, 형제, 친구, 이웃의 관계, 출생, 장례법, 결혼, 이혼, 성생활 등과 우주, 해양, 식물, 동물, 창조의 원리까지 세상의 모든 것을 말씀하셨습니다.

사단은 이러한 하나님의 종교의 세계를 도적질하여 종교를 만들어 사단을 섬기는 자에게 영원히 살 수 있다고 거짓을 말합니다. 종교의 영의 세계를 알게 되면 모든 영적 세계를 환하게 알 수 있게 되며 종교의 영의 세계 속에서 "성경의 비밀"이 풀어집니다. 영의 세계가 성경적으로 풀어지고 영의 비밀을 명쾌하게 알 수 있게 됩니다. 하나님의 종교의 영적 세계를 도적질하여 자신의 영적 세계인 것처럼 속이는 사단의 계략과 그 영의 실체를 볼 줄 알아야 성경을 바로 볼 수 있습니다.

세미나에 참석하기 전에는 기독교와 타 종교를 비교하여 말하고자 할 때 타종교가 무엇이 잘못되었거나 빗나간 것인지 어떤 정확한 근거를 제시하여 설명을 해야 하는데 실체가 풀어지지 않으니 막히는 부분이 많았고 우리 기독교에 대한 신앙의 확신이 서지 않았습니다. 그러나 세미나를 듣고 난 후 확실히 깨달아지고 알게 되니 그동안 의문을 갖고 있던 것 들이 저절로 해결되며 그 해답을 얻게 되었습니다.

또한 기독교를 바라보면서 종교의 형태와 양식을 흉내 내고 있는 타 종교의 실체를 알고 그 허구성이 무엇인지를 알아야 합니다. "종교의 영의 세계"가 영의 최고의 경지인 만큼 이 영의 세계를 우리가 꼭 알아야 할 부분임에 틀림없는 것입니다. 종교의 영의 세계를 알게 되면서 더욱 많은 변화가 저에게 일어났습니다.

이제 성경을 보는 눈이 달라졌고 이해가 안 되던 부분이 확실하게 알게 되었으며 어떻게 성경을 풀어 나가야 하는지 알게 되어 목회에 자신감이 생겼고 믿음에 대한 확신이 더해졌습니다. 목회 현장에서도 더욱 확신에 찬 말씀을 선포할 수 있게 되었으며 성도들의 신뢰가 더욱 두터워지는 것 같습니다.

현재 우리 교회가 지금의 이곳에 자리 잡기까지의 과정을 간단히 소개를 하면서 '장소(터)의 영의 세계'가 있음을 언급하고자 합니다.

처음 교회를 사용하던 건물은 친구의 사무실로 사용하던 곳이었는데 계약 기간이 몇 개월 남아 있는 상태에서 다른 사업을 시작하려고 떠났기 때문에 제가 임의로 사용 할 수 있는 곳이었고 기간이 만료되면 재계약하여 계속 사용할 수 있었습니다. 그래서 그곳에서 교회를 개척했습니다. 평수는 60평 정도 되고 임대료도 싸고 우리에게는 적당한 곳이었습니다. 이곳에서 몇 개월이 지나자 계약 기간이 만료되었고 그 건물을 계속 사용하기 위해 교회 앞으로 계약을 하려고 하니 건물주는 그 건물을 교회로는 임대해 주지 않겠다고 했습니다. 다른 때 같았으면 그렇게까지 냉정한 반응을 보이지 않을 사람인데 교회가 정식으로 계약하려고 하니까 냉랭한 반응을 보이는 것이었습니다. 자기가 불교 신자이기 때문에 교회로는 절대 줄 수 없다는 것이었습니다.

우리는 기도하는 것 외에 다른 방법이 없었습니다. 우리에게 더 좋은 장소가 예비되어 있다는 것을 나중에 알게 되었지만 현실은 그렇지 못했습니다. 예비되어 있는 곳이 있다는 확신이 있긴 하였지만 막상 찾으려고 하니 마땅한 장소가 눈에 띄질 않았고 바로 옮겨 갈 곳이 없었습니다. 옮겨야 할 날짜가 1주일 밖에 남지 않았고 그렇다고 갈 곳이 정해진 곳은 없고 또 좋은 곳으로 가려고 하니 돈이 부족하고 해서 어쩔 수 없이 바로 옆 빌딩의 건물 지하로 가려고 임시 계약을 해 놓고 망설이고 있었습니다. 분명 이곳은 아니고 어딘가 좋은 장소가 있는 것은 분명한데 보이지는 않으니 다른 방법이 없었습니다. 그래서 우선 이곳으로 교회를 옮겨야 하겠다는 마음으로 건물 내부에 페인트 칠이라도 하려고 페인트 뚜껑을 열려고 하는 순간 건물 4층에 사는 분이 내려와서 하는 말이 이곳은 지하라서 습기가 너무 많아 사용하기가 적합하지 않으니 나중에 후회하지 말고 다른 곳을 알아보라며 충고를 해주었습니다.

그러던 중 얼마 떨어지지 않은 곳에 있는 3층 학원 건물이 생각났습니다. 밤에 계속 불이 켜져 있지 않은 것을 보니 비어 있는 건물 같아서 찾아 올라가 보니 역시 비어 있었습니다. 건물주를 만났더니 지금까지 2년 동안 비워 두었는데 학원으로만 내주려 했고 교회는 몇 번 왔었지만 주지 않았다고 했습니다. 사람이 상당히 깐깐했고 주변 사람들과도 관계가 별로 좋지 않은 듯 보여서 건물을 쉽게 내어 줄 것 같지 않았습니다. 일단 대화를 보류하고 기도하기 시작했습니다. 기도하는 중 투시로 그 안에 있는 악한 영들이 보여 능력기도로 쳐서 제거해 버렸고 건물을 보니 몇 사람이 유리를 닦고 청소를 하는 모습이 보였습니다. 바로 이곳이 하나님이 예비하신 교회라는 확신이 들었습니다. 건물주를 다시 만나게 되었는데 지난번과는 달리 사람의 태도가 180도 바뀌어 부드러운 말투로 답변을 하면서 교회가 사용할 수 있도록 건물을 내 준다는 것이었습니다.

부족했던 전세 보증금도 생각지 않게 마련되었고 내부 인테리어도 평소 알고 지내던 분들이 와서 도와 주어서 간단히 끝낼 수 있었습니다. 건물주는 오히려 교회가 들어오는 것을 허락하지 않으려고 했던 것을 매우 미안하게 생각하고 있었으며 앞으로 절대 연락하는 일이 없을 테니 교회가 알아서 건물을 잘 사용하라고 했습니다. 하나님이 예비해 놓으신 장소가 분명했으며 이렇게 사람의 생각과 하나님의 방법은 너무나 다르다는 것을 새삼 느끼는 순간이었습니다.

우리는 지금도 이 장소를 하나님이 우리 「복있는 교회」를 위해 예비해 놓으신 곳으로 믿고 사용하고 있습니다. 지금까지 몇 차례 월세를 늦게 주어도 전화 한번 오는 법이 없을 정도입니다. 그리고 우리 교회에 오는 사람들마다 하는 말이 교회에 들어오면 아늑하고 평온함을 느낀다고들 합니다.

다른 건물을 얻으려고 다닐 때 보았던 장소들은 어둡고 침침하게 보였었는데 이곳은 왜 이렇게 밝고 편안하게 느껴지는지 모르겠습니다. "장소(터)의 영의 세계"가 분명히 있습니다.

하나님께서 〈성령사역연수원〉을 통해서 그간 침체되었던 삶 속에서 영적 회복을 이루어 주시고 처음엔 평신도로 발을 디뎠으나 하나님께서 신학 과정도 은혜 가운데 다 마치고 목사 안수를 받게 하셨으며 교회를 개척할 수 있는 소수의 성도들도 준비시켜 주셔서 목회할 수 있도록 인도하신 그 크신 은혜를 찬양하며 감사드립니다.

또한 지금의 이런 영적 모습으로 거듭날 수 있도록 지도하고 이끌어 주신 김재선 목사님께 감사를 드립니다.

그리고 〈성령사역연수원〉에 오셔서 세미나에 참석하고 계신 모든 분들과 앞으로 사모하는 심령으로 이곳을 찾게 될 모든 분들에게 하나님의 크신 축복이 임하시기를 바랍니다.

성경 및 설교 세미나

† 성경해석학 세미나

† 설교학 세미나

† 스피치론 세미나

† 성경 파노라마 기본반 세미나

† 성경 파노라마 전문반

전달력을 극복하기 위해

박 병 동 목사
(2기 예성교회/부천)

저는 2008년 3월 국민일보 광고를 보고 「특수부대식 기도특공훈련 세미나」에 참석한 후에 「특수부대식 기도훈련 전문반」 2기에 등록하여 아내와 같이 계속 훈련을 받게 되었습니다. 2008년 5월 〈성령사역연수원〉을 다닌 지 2개월 만에 「성경해석학 · 설교학 · 스피치론」 세미나를 듣게 되었습니다. 매주 설교를 하는 목사로서 저는 특히 스피치를 잘하고 싶었기 때문에 세미나를 듣는 데 있어서 최선을 다할 것을 다짐했습니다.

평소 설교를 하고 나면 아내는 저에게 설교를 할 때 또박또박 말을 잘 하라고 지적해 주곤 했었습니다. 타고난 스피치를 바꾸려 노력해 보았지만 그리 쉽게 바뀌지는 않았습니다. 하지만 설교를 준비하고 반복하며 연습을 해서 강단에 서면 설교가 잘 되는 듯하여 저에게도 나아질 가능성이 있다고 믿기도 했습니다. 그런데 어느 주일이었습니다. 예배 찬송을 부르고 있는데 장로님으로 보이는 한 분이 교회에 들어오셨습니다. 힘차게 찬송을 부르시고 예배에 임하는 태도가 좋았습니다. 예배가 끝난 후에 대화를 하게 되었는데 그분은 자신이 장로는 아니라고 하면서 끝내 자신의 신분을 밝히지 않으셨습니다. 그러나 그분은 교계의 정보를 모르는 것이 없이 다 알고 있었으며 성경 지식의 수준도 보통이 아니었습니다. 그분이 거미줄처럼 거침없이 계속 말을 이어가는 바람에 저는 한 마디도 못하고 듣고 있었습니다. 그리고 그분은 제게 한마디 권면의 말을 건넸습니다. 급하게 말하지 말고 열 마디 할 것을 여덟 마디 해서 천천히 무게 있게 설교를 하시라고 말씀해 주셨습니다. 저는 그분의 말을 긍정적으로 받아들였습니다.

저는 나름대로 열심히 스피치를 한다고 하고 있었지만 청중이 듣기에 전달력이 부족해서 만족을 하지 못하고 있었던 모양입니다. 이 결점을 극복하기 위해 몇날 며칠을 매달리며 설교 한 편 정도야 계속 반복하여 연습하면 되겠지만 매주 설교 내용을 바꿔 선포해야 하기에 한 편만 계속 연습할 수 없는 노릇이라 한계를 느끼며 낙심하고 있었습니다.

설교는 전달력이 좋아야 청중이 은혜를 받는다는 것을 알게 된 후 이런 고민에 빠져 있을 때 〈성령사역연수원〉의 「성경해석학·설교학·스피치론」세미나를 듣게 되었습니다.

세미나 첫날에 김재선 목사님께서 "설교는 전달력이 좋아야 합니다."라고 말씀하실 때 바짝 귀를 기울이지 않을 수 없었습니다. 왜냐하면 제가 심각하게 고민하고 있는 말씀을 하셨기 때문입니다. 목사님께서는 설교 내용이 좀 떨어져도 전달력이 좋으면 은혜 받는다고 말씀하셨습니다. 그래서 "아, 에, 이, 오, 우" 발성 연습을 시작으로 실기하는 시간을 가지기도 했습니다.

날씨가 쾌청한 날에 산책을 할 때 조금 있으면 지루하게 느껴져 안으로 들어가고 싶은 것처럼 설교를 아나운서 소리처럼 맑고 깨끗한 음성으로 하게 되면 처음에는 청중들이 좋아 하지만 시간이 지나면 집중하지 못하고 지루하게 여긴다고 합니다.

저는 목사님의 이 말씀에 소망을 갖게 되었습니다. 저 같은 작은 목소리, 허스키 한 목소리도 설교를 잘 할 수 있겠다는 소망 말입니다. 그리고 아나운서들도 처음부터 맑고 고운 목소리를 가진 것이 아니고 훈련을 통해서 얻은 것이니 설교자들도 훈련을 통해 설교하기 좋은 목소리를 가질 수 있다고 하셨습니다.

그래서 발성 연습부터 하고 장음 훈련, 단음 훈련, 강약 조절법도 지도해 주신 대로 열심히 배우게 되었습니다. 제 목소리도 바뀔 수 있다는 소망을 가지고 열심히 강의를 들었습니다.

김재선 목사님은 웅변을 배우신 경험이 있으셔서 강의하시는 목소리가 무척 우렁차시고 발음도 분명하셨습니다. 알고 보니 목사님께서는 이미 수많은 설교자들에게 "스피치론"을 실제 훈련시켜 본 전력이 있으셨습니다.

목사님은 교재에 기록된 대로 설교 스피치의 방법과 원리를 설명해 주셨고 또 목회자의 3대 고민이 기도, 스피치, 교회 조직에 관한 것인데 우리의 고민을 해결해 주시려고 가지고 계신 노하우와 교재 이외의 지식을 우리에게 가르쳐 주셨습니다.

목사님께서 말씀하실 때마다 제 마음속에서는 소망이 일고 있었습니다. 말더듬이가 피나는 노력 끝에 헬라의 최고 웅변가가 되었듯이 음성도 잘 안 나오면 훈련을 통해 고칠 수 있다고 용기를 주셨습니다. 좋은 성대는 타고난 것이라고 속단해 버린다면 설교를 잘 할 수 있는 사람이 몇 명이나 되겠습니까?

같은 상품을 가지고 판매를 하는데 말 잘하는 판매원이 더 잘 파는 것과 마찬가지로 같은 설교라도 스피치가 좋으면 설교가 더욱 빛이 나게 된다고 합니다. 좋은 실력을 가지고도 스피치가 되지 않아 설교가 본래 가치대로 빛을 보지 못하면 얼마나 안타까운 일입니까?

저는 목사님께서 알려주신 발성 연습 10단계를 열심히 연습했으며 이 연습은 특히 제가 설교하는 데 가장 큰 영향을 주었습니다. 저는 「성경해석학 · 설교학 · 스피치론」 세미나를 네 번이나 들었습니다. 어떤 목사님은 지난 번에 들어놓고 또 참석하느냐고 말씀하시지만 계속 들어야 내 것이 되는 것임을 저는 알았기에 놓치지 않고 세미나를 계속 들어왔습니다. 제 예상대로 듣고 또 듣는 동안 제가 스피치에 익숙해져 있음을 알게 되었고 아내 또한 칭찬해 주면서 정말 잘했다고 격려하는 말을 해주곤 했습니다.

본 세미나는 "스피치론"뿐만 아니라 "설교학"과 "성경해석학"도 가르쳐 주었습니다. 스피치론 이외에는 설교학, 성경해석학은 신학교에서 배운 것이라 그냥 지나칠 수 있겠지만 제가 듣고 난 후에 내린 결론은 이것도 다시 들을 필요가 있다는 것입니다. 왜냐하면 이것을 기초로 「성경 파노라마 기본반 세미나」와 「성경 파노라마 전문반」의 지식들이 연결 되어 있었고 또 신학교에서 배운 것과는 다른 점이 너무 많이 있었기 때문입니다. 그래서 이 세미나에서 배운 설교학과 성경해석학을 기본으로 「성경 파노라마 전문반」을 듣게 되면 설교의 효과가 세미나를 듣지 않은 사람보다 몇 배로 나타나게 됩니다.

성경 파노라마의 기본인 모든 말씀 속에 예수 그리스도를 나타내야 한다는 기초 작업이 바로 성경 해석을 어떻게 하느냐에 달려 있습니다. 모든 설교자가 성경 말씀을 통해서 예수 그리스도를 나타내려 노력하는 것은 당연한 일이지 뭐가 다를 것이 있느냐고 말씀하시겠지만 「성경 파노라마 전문반」을 들어보시지 않은 분은 왜 제가 이렇게 말하는지 「성경 파노라마 기본반 세미나」와 「성경 파노라마 전문반」의 강의를 들어보시면 알게 될 것입니다.

기존에 우리가 어떻게 설교 해 왔는지 다시 돌아보며 하나님께서 진정 외치라는 것은 우리가 외치지 않고 세상적 지식을 전달하고 이에 기초한 설교를 해 왔음을 깨닫게 되고 통탄하게 됩니다. 우리가 얼마나 예수 그리스도와 거리가 먼 설교를 해 왔는지를 깨닫게 됩니다. 설교를 제대로 해 온 줄로 알았는데 그것이 아니었음을 크게 깨닫게 됩니다. 성경 말씀을 가지고 예수 그리스도를 전한다면서 하늘의 일이 아닌 육의 일을 전파하고 있었음을 알게 됩니다. 하나님의 말씀이 아닌 세상 도덕과 윤리로 설교하고 있음도 알게 됩니다. 그래서 저는 본 세미나를 목회자들에게 적극 추천하고 싶습니다. 결코 후회함이 없다는 확신을 가지고 있습니다.

우리 설교자들의 기초적인 지식들을 모두 새롭게 하지 않으면 하나님의 말씀만 온전히 전파할 수 있는 자가 될 수 없습니다. 이러한 지식들을 새롭게 하는 데 있어서 「성경해석학·설교학·스피치론 세미나」와 「성경 파노라마 기본반 세미나」 및 「성경 파노라마 전문반」 만큼 좋은 강의가 없습니다.

이 세미나를 통해 우리의 생각과 마음, 마인드가 모두 변하게 됨으로써 하나님의 마음을 시원케 해 드리며 이 시대가 진정 원하는 설교자들이 되었으면 합니다.

지금까지 인도하신 하나님께 모든 감사와 영광 찬송을 드리며 저를 지도해 주신 김재선 목사님과 사모님께도 감사드립니다. 제가 2년 반이 되도록 훈련받으며 지켜보게 된 연수원 원장 김재선 목사님께서는 기독교학과 교리, 창조의 원리, 진토의 근원의 세계, 은사의 세계, 일반 상식 등에 이르기까지 모든 분야를 총망라 하여 능통하신 분입니다. 가히 타의 추종을 불허할 정도의 영력은 물론 지식과 실력을 갖추었습니다.

이 세상에 김재선 목사님과 같은 분은 없을 것 같습니다. 이런 귀한 하나님의 사자를 통해 훈련받게 된 것도 하나님의 축복이었습니다.

홈런을 쳐야만 한다

변 경 복 목사

(6기 맑은물교회/서울)

제법 큰 교회에서 전도사로 여러 해 동안 파트 사역을 감당하다가 2009년에 목사 안수를 받으면서 어떻게 하여야 하나님의 능력을 힘입어 하나님이 기뻐하시는 목회를 잘 할 수 있을까 고심하며 기도하던 중, 한 기도 모임의 회원 자녀 결혼식에 참석하게 되었습니다.

그곳에서 참으로 오랜만에 전도사 시절 같은 교회에서 수년간 같이 사역했던 동역자를 만나게 되었는데, 그 친구는 이미 3년 전에 목사 안수를 받고, 〈성령사역연수원〉이란 곳에서 2년 넘게 훈련을 받고 있는 중이라면서, 저보고 월요일에 세미나가 있으니 꼭 와 보라는 것이었습니다.

소개하기를 그곳은 능력기도 훈련하는 곳이며, 그 세미나를 이번에 못 받으면, 앞으로 6개월이나 기다려야 한다는 것이었습니다.

세미나의 제목이 「특수부대식 기도특공훈련 세미나」 이었는데, 제목도 범상치 않았고, 어떤 곳일까 궁금하기도 하여서 학기 중간 무렵인 2009년 11월 첫 주부터 연수원에 다니게 되었습니다. 와서 보니 세미나 종류가 한두 가지가 아니고 세미나 안내 책자에 소개된 것만도 무려 20여 가지나 되었습니다.

그런데 문제는 기도를 잘 하려면 영의 세계가 열려야 하고 또 이 모든 세미나가 다 기도에 연결되어 도움이 된다는 것이었습니다. 한마디로 모든 세미나를 다 들어야 한다는 것인데, 제 생각은 그렇지 않았습니다.

"무슨 소리야? 이 많은 세미나를 어떻게 다 들어? 난 싫어? 난 내가 취사 선택해서 들을 거야?" 하면서 그 조언을 무시하고 제가 듣고 싶은 것만 듣기 시작했습니다.

이렇게 한 달이 지났고 드디어 12월 어느 날 「성경해석학·설교학·스피치론 세미나」의 안내문을 보게 되었는데, 제목은 제게 꼭 필요한 세미나 같았으나, 그 거창한 3가지 제목에 비해서 2박 3일이란 짧은 기간이 마음에 걸렸습니다.

설교학 하나만 배우는데도 최소 몇 학기는 했던 것 같은데, 거기다가 스피치론과 성경해석학까지를 2박 3일에 한다니 영 믿음이 가지를 않았습니다.

그래서 요1:46에 빌립이 나다나엘에게 예수님을 전할 때에 나다나엘이 '나사렛에서 무슨 선한 것이 날 수 있겠느냐?'고 한 것 같은 생각을 품고 큰 기대감을 갖지 않은 채 세미나에 참석하게 되었습니다.

그런데 그 결과는 마치 나다나엘이 별 기대 없이 빌립을 따라갔다가 메시야를 만나서, 세상 말로 큰 수지를 맞았듯이, 저도 세미나 진행 기간 내내 입을 다물 수 없을 정도의 감탄과 경악을 금할 수가 없었습니다.

시간 시간마다 아니 분초마다 기대하면서 듣는 태도가 바뀌게 되었고 마지막 날은 마치 음악 공연이 끝나면 관객들이 환호하며 박수치는 모습처럼 그렇게 열화와 같은 박수를 보내고 싶은 마음이었습니다.

그야말로 이 세미나 강의를 야구로 표현한다면 홈런 중에서도 장외 홈런이었던 것입니다. 금년 5월에도 한 번 더 이 강의를 들었으며, 앞으로도 기회가 오면 더 들으려고 합니다.

"아니 어떻게 그 짧은 시간에 그 많은 이론들을 다 말 할 수 있단 말인가?" 2박 3일 동안에 도저히 다 다룰 수 없을 것이라고 생각하며 미심쩍은 모습으로 참석하였는데 「성경해석학 · 설교학 · 스피치론」 들을 하나도 소홀함이 없이 다 다루는 것을 보면서 정말 놀라지 않을 수 없었습니다.

그 강의 내용의 충실함에, 그 군더더기 없이 꼭 필요한 핵심들을 정리해 가면서도, 하루 종일 앉아서 강의 듣는 청중들을 배려해서 유익한 예화와 유머들로 많이 웃게 하셔서 엔돌핀도 정말 많이 나오게 해 주셨습니다. 만족함과 유익함과 행복감 모두를 충족시켜 주는 최고의 명 강의, 명 세미나 였습니다.

이 세미나를 들은 후 모든 세미나에 대한 신뢰감이 생기게 되었고, 저의 무지하고 교만한 생각을 접게 되었습니다. 이제 세미나를 취사 선택하여 듣겠다는 생각을 버리고, 모든 세미나를 최선을 다해서 열심히 들으리라 결심하게 되었습니다.

지금은 연수원 모든 프로그램에 몰입하고 있으며 연수원을 위해서 또 원장 김재선 목사님과 사모님과 모든 직원들을 위해서 기도하고 있습니다.

세미나의 감동받은 내용을 간략하게 소개하고 싶습니다.

먼저, "설교학" 입니다.

이 시간에 가장 큰 소득은 설교의 틀을 짜는 방법을 배우게 된 것입니다. 설교의 틀을 짜는 방법은 설교구상기, 자료수집기, 작성기, 교정기, 선포기, 수확기의 단계에 맞춰 작성하는 것입니다.

"그래! 이거구나, 그렇게 어렵게만 느껴졌던 설교를 이렇게 하면 되겠구나" 그동안 나의 설교 준비는 너무 주먹구구식이었고 또 사람의 말을 너무 많이 했음을 알게 되었습니다.

똑같이 기도하고, 본문을 정하고 제목까지는 본문에서 정했으나 대지와 소지에서 대지의 제목을 정할 때는 성경적이지 못했고 거의 내가 하고픈 말들을 붙여서 거기에 맞게 내용이 만들어졌습니다. 그러나 성경 본문에 따른 성경 구절들을 영맥에 따라 찾아 놓고서 대지의 제목들을 붙였다면 훨씬 성경적이고, 내 말과 생각들이 들어가지 않았을 것입니다.

설교의 틀을 제대로 짤 줄 안다면, 설교는 이미 적게는 50%에서 많게는 70%까지 이미 준비된 것인데, 이것을 알게 되니 설교에 대한 부담감이 한결 줄어들었습니다.

또 한 가지 큰 은혜 받은 말씀은 설교자의 마음의 자세에 대한 것이었습니다.

세상 사람들은 야구에서 타자가 공을 칠 때 10개에서 3~4개만 안타를 쳐도 잘 한다고 하는 것이지만, 우리 목사들은 설교할 때에 항상 홈런을 쳐야 한다는 것이었습니다. 이 자세를 가지고 설교를 준비한다면 어찌 설교를 소홀히 준비할 수 있으며, 못할 수 있단 말입니까? 너무나 귀한 것을 배우게 되었습니다.

다음으로, "스피치론" 입니다.

이것은 설교의 실습으로서 음의 강약을 1단계 음을 10으로 보고 10단계까지 100의 음을 계단식으로 소리를 내면서 발성 연습을 반복하는 훈련입니다. 평소 자신의 음성을 세 계단, 즉 30의 음성을 기준하여서 소리를 높게, 혹은 낮게 내는 것인데, 이 연습을 매일 10분씩만 꾸준히 한다면, 지금까지의 평면적인 음으로 졸음을 주는 읽기 위주의 설교 형식에서 벗어나서 드라마틱한 입체적인 설교를 준비할 수 있게 되는 것입니다. 여기에 시적 언어와, 동작 언어, 극대화 언어 사용 등의 연습을 더 한다면 더욱 확실하고 입체적인 설교 전달 능력을 소유하게 되는 것입니다.

저는 매일 5분~10씩 연습하고 있습니다. 그리하여 예전에는 강조하고 싶은 단어와 내용이 있어도 마음뿐이지 생각같이 음이 나오지가 않았으나, 이제는 설교 원고 작성 후에 강조하고픈 단어와 내용에 빨간 밑줄을 그어놓고 소리 내고 싶은 만큼 (10에서 100까지)의 숫자를 표시해 두면서 하다 보니 아직은 완전하지는 않지만 되고 있는 과정입니다.

끝으로, "성경해석학" 입니다.
그동안 성경은 예수그리스도 "그분의 이야기"(His story)이며, 구약은 오실 예수를 이야기하며, 신약은 오신 예수와 재림으로 오실 예수에 대하여 기록한 책으로서, 성경 어느 구절을 펴서 설교한다고 해도 다 예수그리스도가 증거 되어야 하고 예수의 피가 뚝 뚝 떨어져야 한다고 들었습니다.

그러나 실제 사역의 현장에 나가서 그런 설교를 하지도 못했고 잘 듣지도 못한 것이 현실입니다. 이 세미나를 통해서 왜 이런 설교를 할 수 없었는지를 알게 되었고, 또 모든 성경을 예수 그리스도로 푸는 방법을 배우게 되었습니다. 물론 이 과정은 전문반 과정을 통해서 공부를 좀 더 해야 하는 부분이긴 합니다만 아주 중요한 핵심은 분명히 얻을 수 있었습니다.

성경은 고후 3:14~16에서 우리가 예수 그리스도를 볼 수 없는 이유에 대하여 확실히 알려 주고 있습니다. "저희가 마음이 완고하여 오늘까지라도 구약을 읽을 때에, 그 수건이 오히려 벗어지지 아니하고 있으니, 그 수건은 그리스도 안에서 없어질 것이라. 오늘까지 모세의 글을 읽을 때에 수건이 오히려, 그 마음을 덮었도다. 그러나 언제든지 주께로 돌아가면 그 수건이 벗어지리라"고 말씀하고 있습니다.

골2:2~3에서 "하나님의 비밀인 예수그리스도를 깨닫게 하려 함이라. 그 안에는 지혜와 지식의 모든 보화가 감춰어 있느니라"
고 하였습니다. 그렇기에 하나님의 말씀은 사사로이 풀면 안 되
며, 성령의 지혜를 힘입어 성경을 해석해야 합니다. 세미나를
받기 전까지는 분명 성경을 사사로이 풀었다면 이제는 성령 안
에서 성경적으로 영맥을 따라서 풀 수 있게 되었습니다.

이 얼마나 놀라운 일입니까? 2박 3일이란 짧은 시간임에도 불
구하고 설교자가 꼭 알아 두어야 하고 숙지해야 할 보물같은 이
론들을 다 정리할 수 있다니 말입니다.
저를 〈성령사역연수원〉으로 인도하셔서 목회자로서 마지막 때
에 섭렵해야 할 모든 영적인 것들과 학적인 것들을 훈련받게 하
신 하나님께 진심으로 감사드립니다.
목회 현장에서 설교 문제로 고민을 많이 하고 있는 분들이 이
세미나에 참석할 수 있다면 너무 유익할 뿐더러 설교에 대한 작
성법 이해와 스피치론을 통하여 강단에서의 자신감을 얻게 되
는 소중한 세미나가 될 것임을 확신합니다.

와 보라!

황 광 식 목사

(6기 사랑의 목장교회/서울)

🌸 공직에서 정년퇴직 한 후 남은 인생을 하나님께 드리겠
다고 서원하여 60세에 목사 안수를 받은 늦깎이 목사로
서 저보다 10년을 먼저 앞서서 목회자의 길을 가고 있는 아내
권미자 목사와 동역을 하고 있는 부부 목사입니다.

아내는 신앙의 선배요 동반자이며, 많은 영적 체험을 한 앞서가
는 영적 상담자이기도 합니다. 이런 현숙한 아내의 협력으로 뒤
늦게나마 안수를 받아 맡겨진 사역의 현장에서 뛸 수 있게 되었
으니 저는 하나님의 복을 많이 받은 사람인 것 같습니다.

공직에서 배운 기본과 원칙을 중시하고 말과 행함이 같은 신실
한 주의 종이 되기 위해 노력하는 가운데 성경의 깊은 영적 해
석에 바탕을 둔 설교를 늘 갈망하고 있었지만 그런 갈급함을 채
우기에는 여러 가지 한계가 많았습니다.

목회를 늦게 시작하였지만 하나님의 일을 온전히 감당하고자
깊은 영적 욕구로 목말라 하던 중 아내가 국민일보 광고 난에
게재된 「특수부대식 기도특공훈련 세미나」 안내를 보고 "함

께 참가해 보지요."라고 나에게 말을 건넸습니다. 나는 다른 때 같았으면 "참석해 봐야 그게 그거 아니요?"라고 시큰둥하게 말을 했겠지만, 이 날은 웬일인지 "그래요, 같이 가 봅시다."라고 대답했습니다.

2010년 3월 〈성령사역연수원〉의 「특수부대식 기도특공훈련 무료세미나」에 함께 참석하여 김재선 목사님이 전하시는 하나님의 말씀을 들었습니다. 저는 그 말씀에서 세속에 때 묻지 않은 신선함과 깊은 영적 해석은 물론 강력한 영성을 맛보게 되었습니다. 그리고 「특수부대식 기도훈련 전문반」 6기에 아내와 함께 등록하여 기도 훈련에 임하기 시작하였습니다. 오전에는 기도에 관한 영의 세계의 하나님의 말씀을 듣고 오후 실제 기도 실습하는 시간에는 내 생애 가장 힘들었던 4시간 이상의 강력한 기도 훈련을 하게 된 것입니다.

저는 그동안 수많은 시간 제법 기도를 하며 살아왔다고 말을 했던 것이 얼마나 부끄러웠던지 얼굴이 붉게 달아올랐던 것을 고백하지 않을 수 없습니다. 그렇게 강력한 기도를 하면서 눅 22:44의 "예수님께서 애써 간절히 기도하시니 땀이 땅에 떨어지는 피 방울같이 되더라."라는 말씀의 의미를 깨닫게 되었으며, 기도 훈련에 대한 강력한 도전을 받게 되었습니다.

돌이켜 볼 때, 마흔 살이 되던 해에 저에게 세례를 집례하시고, 저의 영적 스승이었던 감리교단의 목사님께서 "기도는 최고의 노동이다."라고 강조하신 말씀 속에 기도가 얼마나 힘든 육체적 노동이라는 것을 알고 있었습니다. 저는 집사 때부터 조금만 기도해도 내의가 흠뻑 젖을 정도로 힘써 기도했던 터라 그런 사실을 이미 알고 있었습니다. 또한 그 목사님의 "기도는 역사를 일으킨다. 기도는 만사를 변화시킨다."는 말에 감명을 받고 그 말을 가슴에 담고 지금껏 살아왔던 저의 신앙의 삶을 다시 한번 뒤돌아보며 나의 기도의 개념과 목적과 방법을 바꾸리라고 결단하는 계기가 되었습니다. 그 날 이후부터 나의 강력한 기도 훈련이 시작되었던 것 같습니다.

그리고 〈성령사역연수원〉에 와서 「기도훈련 전문반」의 훈련이 계속되면서 연수원 원장이신 김재선 목사님의 기도에 관한 말씀을 들으면서 보다 더 깊은 영적인 세계를 알고자 가능한 모든 세미나를 다 참석하기 시작했습니다.

주님이 기뻐하시는 목회를 위한 저의 투자가 시작된 것입니다. 모든 목회자의 바램이라고 한다면 그것은 설교를 잘하는 것일 것입니다. 설교를 잘한다는 것은 성령의 도우심을 힘입어 내용이 충실한 설교문을 탁월한 전달 능력으로 성도들에게 감동과 은혜가 넘치도록 전하여 성도들을 예수 그리스도의 증인으로 변화되게 하는 것이 아닙니까? 그러나 설교가 그리 쉽지만은 않기에 많은 목회자가 고민을 하고 있는 것이 사실이며, 저 또한 같은 고민을 하고 있는 목사입니다.

그러던 중 연수원에서 하는 「성경해석학·설교학·스피치론 세미나」를 듣게 되었습니다.

세미나의 스피치 훈련으로 10단계 강약 조절 발성 훈련, 호소력 발성 훈련, 파도타기 언어 표현과 발성 훈련, 대화법 훈련, 시적 표현과 시각과 동작과 극대화된 언어 표현은 매우 유익한 훈련입니다. 그리고 설교학 강의에서 설교문 작성 과정, 서론 선택, 결론 방법, 제목의 선택 요령, 본문 선택 요령, 본문 관련 성구 조사 등은 설교문 작성에 필수적이며, 목사로서도 설교에 대한 재정립 차원에서 아주 유익한 강의였습니다.

아울러 성경해석학 강의에서 성경을 보는 개념과 관점을 어디에 둘 것이며, 깊은 영적 해석은 물론, 말씀을 증거 하는 방법과 목적에 대한 강의는 설교를 날마다 해야 할 목회자에게는 매우 중요한 내용이었습니다.

저는 본 세미나를 들은 후 설교문을 작성할 때 음의 강도를 표시하게 되었으며, 시각적 언어, 동작 언어, 극대화 언어를 표기하여 설교시에 표현하게 되었고, 파도타기 강조 표현은 성도들의 호응을 불러일으키는 데 큰 효과를 거두고 있습니다.

그리고 그동안 강해설교를 계속해 왔던 저로서는 예화에 많은 비중을 둔 설교를 해 왔고, 예화 모음에 많은 시간과 노력을 들였으며, 본문을 강해하기 위해 세상 지식과 학문으로 성경 말씀이 아닌 세상 이야기를 가미한 것도 사실입니다.

그러나 원장이신 김재선 목사님의 본문 설교로 본문의 충실한 강해와 영의 해석 그리고 본문과 관련된 성경의 이해와 성경속의 예화로 충실하고 완벽하게 작성된 설교문을 보면서 저의 설교 방법과 전개 방식에 커다란 변화를 가져 오게 되었으며, 지금은 본문 해석 위주의 설교 훈련을 새롭게 시작할 정도로 큰 영향을 받았습니다.

「특수부대식 기도훈련 전문반」에서 기도 훈련이 이루어지고 있고 「성경 파노라마 전문반」에서 강의가 이어질수록 저의 기도와 말씀 선포에 대한 전반적인 변화가 일어나기 시작했습니다.

연수원에서 훈련을 받기 전까지 저의 기도는 목회와 관련한 문제 해결 위주의 기도였습니다. 그러나 김재선 목사님의 히스기야 왕의 벽을 향한 기도, 에스더 왕후의 원수의 생명을 구하는 기도, 나아만 장군의 문둥병을 낮게 하는데 역할을 해준 아람나라 왕의 믿음의 중보기도, 영의 세계를 알고 소경의 눈을 뜨게 한 벳세다 사람들의 기도, 가나안 여인의 큰 믿음의 기도, 전심으로 하는 기도 등 수많은 기도에 관한 귀한 말씀을 들으면서 저와 아내의 기도의 목적과 방법과 내용이 크게 변하게 된 것을 느끼고 있습니다.

나아가 설교의 목적도 성도들의 변화를 위한 설교가 아니라 하나님이 기뻐하시는 설교, 오직 예수 그리스도를 나타내고 증거하는 설교를 위해 저희 부부에게 다시 새롭게 주어진 기회로 알고 제대로 기도와 말씀에 전무해 보리라 다짐을 해봅니다.

이 글을 읽으면서 〈성령사역연수원〉의 사역과 프로그램에 대해 알고 싶은 것이 많이 생겼지요? 나아가 본원의 원장이신 김재선 목사님에 대해서 어떤 분인지 더욱 궁금하시지요?

그러나 아무리 궁금하셔도 여러분에게 제가 드릴 말은 "와 보라!" 입니다.

주님께 감사드리며 주안에서 여러분을 사랑합니다.

성경에 이런 말씀이 다 있었나요?

박 인 구 목사
(1기 호암교회/논산)

부족하고 미련하여 내 뜻대로 살고 누구보다 더 교만하였던 저를 이렇게 사람다운 사람이 되어가게 하시는 하나님을 지면을 통해 높일 수 있는 기회를 주심에 감사드립니다. 2005년 교회 임지 문제로 고민 하던 중, 순천 ○○기도원 원장님의 소개로 〈성령사역연수원〉을 알게 되어 「특수부대식 기도특공훈련 세미나」에 참석하게 되었습니다. 이 세미나를 통하여 지금까지 해 왔고 알고 있던 기도의 세계와 전혀 다른 깊고 높은 경지의 기도의 세계를 알게 되었고 이 부분에 매료되었습니다. 그것이 동기가 되어 〈성령사역연수원〉에서 실시하는 각종 세미나를 통해 은혜를 받고 또한 많은 것을 배워 가면서 연수원에서 다루어지는 하나님의 영의 세계에 눈을 뜨게 되었습니다.

24년을 목회하는 동안 뒤돌아 볼 때 매일 떨쳐 버릴 수 없는 고민이 있었다면 그것은 속 썩이는 성도도 아니요, 물질의 고통도 아니요, 밤 새워 하는 힘든 기도도 아니라 단연 설교라고 말할 수 있습니다. 저 뿐만이 아니라 설교자라면 누구나 설교 때문에 애로 사항을 느끼지 않는 사람이 없을 것이라 여겨집니다. 교회의 부흥도, 성도의 영혼의 갈급함도, 저의 영성도, 모두가 설교에서 시작하고 설교에서 이루어진다고 해도 과언이 아닐 정도로 누구나 공감하는 부분일 것입니다.

요즘 성도들은 방송 매체나 부흥회나 세미나나 모든 설교가 거의 다 비슷비슷한 것 같다고 말들을 합니다. 다만, 내놓고 말을 안 할 뿐입니다. 저 또한 이것을 잘 알고 있으면서도 달리 방법이 없었고, 기도한다고 하면서도 이런 말씀이 아닌 다른 뭔가가 있을 텐데 더 깊게 다루어진 하나님의 말씀은 없을까 하고 늘 말씀을 전하면서도 고민하지 않을 수 없었고 심령이 편하지 않은 것이 사실이었습니다.

그러던 중 〈성령사역연수원〉에서 「성경 파노라마 전문반」에 참가하여 공부하게 되면서 하나님의 영의 세계가 무엇인지, 창조 이전의 세계는 언제 어떻게 이루어졌으며 무슨 일이 있었는지, 성경이 무엇인지, 태초에 무슨 일이 있었는지, 왜 사람을 만드셨는지, 우리가 이 땅에서 무슨 일을 하고 살아야 하는지를 알게 해 주었습니다. 수많은 세월 동안 제가 예배 시간 마다 전했던 예수는 가짜였고, 세상적인 내용이었고, 외식을 가르치고 있었다고 할 수 있겠습니다. 제가 가르친 말씀들은 사람을 얽어맸고, 제가 선포한 말씀은 하나님의 의도와는 관계없는 불필요한 세상의 말들이었음을 고백하지 않을 수 없습니다.

그러나 하나님께서 말씀하시고 싶어 하시는 것, "누가 나의 마음을 알아 나를 가르치겠느냐"고 하셨던 하나님을 뵈옵고 나서, 지구 속 땅 속 끝까지 숨고 싶은 이 부끄러움을 회개하고 또 회개하였습니다. 다행히 하나님께서는 부족한 저에게도 자비를 베푸셔서 「성경 파노라마 전문반」 강의를 통해 영의 깊은 세계를 열어 주시고 주일마다 강단에서 힘 있고 자신 있게 말씀을 선포하게 하셨습니다.

영의 깊은 세계와 하나님의 말씀이 말씀되게 알게 하신 것은 크신 은혜였지만 문제는 이것을 기존 교회와 성도들에게 어떻게 적용을 시키는가에 있었습니다. 저희 교회는 중·소도시도 아닌 시골 면단위의 작은 교회입니다. 5년 전에 부임해 와 보니 젊은 세대가 약 3분의 1이고 나머지는 60세 이상의 고령층이다 보니 예배 시간이라기보다는 잠자는 시간이라고 해야 맞을 상황이어서 처음에는 갈등이 보통 많은 것이 아니었습니다.

목사인 저도 몇 년을 공부하고 기도해야 막힘없이 술술 하나님의 세계를 말할 수 있는데 이 고령층을 대상으로 이 말씀을 적용을 해야 하는가, 과연 알아듣기나 할 것인가, 성경이나 제대로 찾기나 할까, 나만 공부하다가 다음에 다른 교회로 옮겨 가면 그때나 할까, 기존의 설교와는 너무나 다른 말씀이다 보니 반감이 있지 않을까 등 사실은 교회와 성도를 위한 걱정이 아니라 내 자신이 안 다치기 위한 걱정을 하고 있는 것이었습니다.

그렇게 고민을 몇 달을 하다가 내 가슴을 강하게 울리며 들려왔던 생명과도 같은 성경 파노라마 말씀을 성도들에게 전하기로 결심하게 되었습니다. 그래서 5년 전부터 기존의 설교에 하나님의 영의 세계를 한 마디씩 한 마디씩 던지며 토양화 작업을 하기 시작하여 그렇게 하기를 2년을 하였고, 3년 전부터는 100% 영의 세계의 말씀만을 전하고 있습니다. 그러다 보니 자연히 세상 말은 물론 기존에 행하던 설교 방식으로 하지 않게 되었습니다.

그런데 성도들의 반응이 의외로 놀라웠습니다. "아니, 목사님! 성경에 이런 말씀이 다 있었나요?" "참으로 기가 막힐 정도로 놀라워요." "방송 설교를 들어보아도 우리 목사님 설교와는 비교가 안 됩니다." "이 다음에는 말씀이 어떻게 연결되나요?" "다른 교회 가라고 해도 안 갈 겁니다." "그동안 우리가 말씀을 잘못 배웠네요." "성경에 대한 눈이 열리는 것 같네요." 그리고 지금까지는 귀로만 듣던 수동적인 성도들이 이제는 펜을 들고 적는 사람들이 생겨났고, 더 놀라운 것은 이제는 어느 누구도 졸거나 자는 사람이 없다는 것입니다. 성경을 읽거나 계속 찾으라고 하면 어안이 벙벙해하던 사람들이 이제는 적극적으로 참여하여 부지런히 찾아서 읽곤 합니다.

하나님의 말씀 앞에는 나이가 필요 없다는 말이 정말 실감납니다. 다만 평생 몸에 베인 습관이나 관습 때문에 젊은이들 같이 말씀으로 인한 삶의 변화가 두드러지게 일어나지는 않습니다. 그러나 성도들의 영이 차츰차츰 깨어나고 있다는 것을 저는 예배 시간에 나타나는 그들의 반응을 보고 알 수 있습니다. 성도들의 표정 속에서 그 모습을 읽을 수 있기 때문입니다.

분명 하나님께서는 말씀을 말씀으로 받아들이는 성도들의 심령을 기쁘게 받고 계심을 저는 알 수 있었습니다.

하나님의 말씀을 맡아 가르치는 자로서, 이런 기회가 주어지지 않았다면 얼마나 많은 죄를 지으며 살고 있을지 두렵기 그지 없습니다. 저에게 긍휼을 베푸신 하나님이 고마워 주를 높이고 경외하며 살고, 저는 무지하고 부족해서 오늘도 성경 파노라마를 공부하고 기도하며 목회에 전념하고 있습니다.

우리가 영의 깊은 세계를 깨우쳐 하나님의 진정한 뜻을 알게 하는 이 말씀을 붙들었다면 다시 옛날로 돌아 갈 수는 없을 것입니다. 하나님은 자기의 명예도 버리고, 자신의 평안함도 구하지 않는 이 시대의 진정한 영혼 구령자를 찾고 계십니다. 성도들이 이 땅에서 어떠한 삶을 살아야 하는지를 일깨워야 할 사명이 우리에게 분명히 있습니다.

성경 파노라마 강의를 통해서 성경에서 말씀하시는 하나님의 의도와 뜻을 보다 깊이 있게 알게 해 주시고 세상 어느 누구에게도 들어보지 못한 말씀을 듣게 하신 하나님을 찬양하며, 이 사역을 감당하시는 〈성령사역연수원〉과 원장 김재선 목사님께 감사드립니다.

주님만을 증거하는 사역자를 꿈꾸며

고 광 종 강도사
(6기 새순교회/서울)

행정학 박사 과정을 마칠 무렵 저는 하나님의 인도로 신학대학원 과정도 함께 할 수 있었습니다. 한꺼번에 두 대학원을 다니며 집안에 어려운 일까지 겹쳐 제대로 공부를 하지 못하고 신학 커리큘럼에 따라 어떻게 마쳤는지도 모르게 신학을 마쳤습니다. 하나님은 예전에 일반 대학원 과정에서 사회복지를 전공했던 부분을 가지고 저의 사역의 방향을 잡아 주셔서 앞으로 복지 관련 특수 목회를 하려고 준비 중에 있습니다. 그런데 문제는 특수 목회도 예수 그리스도의 복음을 통해 사람들을 구원의 길로 인도하는 사역이 되어야 하는데 사역자로서 예배의 가장 중요한 부분인 설교를 준비한다는 일이 여간 힘든 일이 아니었습니다.

신대원에서 설교학을 배울 때에는 설교문을 작성할 수 있겠다 싶었는데 막상 해보니 생각처럼 설교가 작성이 되질 않았습니다. 문자적으로 해석하고 보면 마음에 차지도 않을 뿐더러 영적인 뜨거움도 없었습니다. 저는 말씀이 말씀되게 증거해야 한다는 설교의 부담을 안고 시간을 보내는 가운데 성경을 더 많이 배우고 공부할 곳을 찾으며 기도하고 있었습니다. 그러던 어느 날, 5년여 동안 만나지 못했던 한 지인을 만나게 되었습니다. 함께 대화를 나누다가 그분에게 뒤늦게 신학을 하게 된 동기와 말씀 선포자로서의 어려움을 솔직하게 얘기를 하다 보니 그분은 저에게 꼭 가볼 곳이 있다면서 〈성령사역연수원〉을 소개해 주었습니다.

저는 지체하지 않고 〈성령사역연수원〉으로 달려와 보니, 눈이 휘둥그레질 정도의 각종 세미나 프로그램과 기도 훈련의 내용들이 규모 있고 짜임새 있게 진행되고 있었습니다. 저는 여기에서 제대로 목회의 필요한 능력을 배양할 수 있겠다는 확신이 와서 모든 프로그램에 빠짐없이 참석하게 되었습니다. 그러나 한편으로 생각하기를 혹시 여기가 이단이나 유사종교의 이상한 집단은 아닌가 하고 색안경을 쓰고 살펴보았던 것입니다. 하지만 저의 의구심은 곧 사라지고 말았습니다. 몇 백 명의 목회자분 들이 함께하고 있으면서 이구동성으로 다들 좋다고 하며 열심히 하시고 오래 다니신 분들은 무언가 자신감으로 가득 찬 모습을 볼 수 있었기 때문입니다.

저도 한 번, 두 번, 세 번 세미나에 참석하는 동안 원장이신 김재선 목사님의 말씀에 빨려 들어가고 있었습니다. 목사님은 성경의 사건과 인물들을 통해서 반드시 예수 그리스도가 드러나고 증거 되어야 한다고 강조하셨습니다. 성경이 곧 내게 대하여 증거 하는 것이라는 말씀을 통해 성경 어느 곳에서나 예수 그리스도가 증거 되어야 하고 성경은 반드시 확증의 짝이 있으며 영적 원리에 따라 성경의 맥을 볼 수 있는 영의 놀라운 세계를 보여주실 때 저는 감탄과 감격의 탄성이 저절로 나오지 않을 수 없었습니다.

하나님의 말씀에서 벗어나지 않는 말씀, 온전히 예수님만이 증거되는 말씀, 오직 하나님의 말씀만이 선포되는 설교는 제가 갈급해 하고 바라던 문제들이었습니다.

「성경 파노라마 기본반 세미나」에 참석하여 말씀을 영의 원리로, 영맥을 따라 풀어가고 해석하여 갈 때, 말씀이 송이 꿀보다 더 달게 느껴지는 신비의 세계를 느끼게 되었습니다.

성경은 단순히 땅의 일, 육에 속한 일, 세상 이야기를 말하는 것이 아니라 성경에 나타나는 인물이나 사건들을 통해서 하나님의 영의 세계를 보여주고 있습니다. 또한 성경은 정확하게 예수 그리스도를 보여주고 있습니다. 저는 성경 파노라마를 통해서 이러한 사실을 깊이 체험하게 되었습니다.

「성경 파노라마 전문반」강의의 특징은 절대로 본문을 벗어나지 않는 본문에 충실한 본문 중심의 설교요, 교리적으로 벗어나지 않으며, 철저한 성경 강해 중심이고 영의 원리를 따라 해석하며 예수 그리스도만 증거하는 '케리그마 설교'입니다. 성경을 통해 영의 세계를 열어주기 때문에 성경에 기록된 인물과 사건들을 통해 우리는 하나님의 영의 세계를 환히 볼 수 있게 됩니다.

그 한 예를 간단하게 소개하려고 합니다.

저는 왜 성경이 바로 왕에게 범죄한 술 맡은 관원장과 떡 굽는 관원장 사건을 기록했는지에 대해 의문을 가지고 있었습니다.

그러나 「성경 파노라마 전문반」을 통하여 그 답을 찾게 되었는데 술 맡은 관원장과 떡 굽는 관원장 사건은 하나님의 영의 세계의 엄청난 비밀을 말씀하고 있다는 것을 알게 되었습니다. 왕에게 범죄한 두 죄인을 통해서 하나님의 깊고 깊은 영의 세계를 볼 수 있었습니다. 술 맡은 자와 떡 굽는 자가 애굽왕에게 범죄한 것은 하늘의 일을 땅의 일로 비유하여 말씀하신 것입니다.

애굽 왕에게 범죄한 술 맡은 자와 떡 굽는 자는 왕이신 하나님께 범죄한 죄인들을 말씀하고 있는 것입니다. 왕의 곁에서 왕을 섬기던 술 맡은 자와 떡 굽는 자가 왕에게 범죄한 것은 하나님의 곁에서 하나님을 섬기도록 명령을 받은 두 자, 즉 루시엘과 인간이 하나님을 반역했다는 사실을 성경을 통해서 명백하게 증거 하셨습니다. 영의 세계에서 루시엘이 하나님을 반역한 사실을 인간이 알지 못하기 때문에 하나님은 이 일을 알게 하기 위해 술 맡은 자와 떡 굽는 자가 왕에게 범죄한 본문을 기록한 것임을 알게 되었습니다.

또한 이밖에도 세상 어디에서도 듣지도 보지도 못한 20여 가지의 세미나가 있는데 모두가 다 한쪽으로 치우치지 않고 성경에 근거한 균형을 갖춘 것으로 제가 꼭 배우고 알아야 할 것이라 생각되었습니다. 예수 그리스도가 올바르게 증거 되기보다는 윤리와 도덕 중심의 설교가 만연한 이 시대에 하나님의 말씀이 제대로 선포되길 소망하면서 「성경 파노라마 전문반」에서 말씀을 열심히 배워 가고 있습니다.

목회자로서, 설교자로서 아직은 부족하지만 먼저 훈련받는 분들처럼 점점 자신감으로 채워져 가고 있는 나 자신을 보면서 〈성령사역연수원〉을 알게 된 것이 얼마나 큰 하나님의 은혜요 섭리인지 감사와 영광을 돌리지 않을 수 없습니다.

원장 김재선 목사님처럼 더 많이 성경을 연구하고 늘 깨어 기도하며 살아있는 진리의 말씀을 선포하는 주의 종이 되기를 소원합니다. 궁극적 목적인 하나님의 영광을 나타내는 복음의 나팔수로 거듭나기 위해서 아직도 가야 할 길이 많이 남아 있지만 연수원에서 배우고 익힌 것들과 하나님이 부어 주시는 영적인 권세를 가지고 힘 있게 복음을 증거하고자 합니다.

이런 저에게 「성경 파노라마 전문반」 강의는 얼마나 큰 영향을 주고 있는지 모릅니다. 성경을 보는 새로운 눈을 열어 영의 세계를 바라보며 주님을 증거하는 아름다운 말씀의 사역자가 되렵니다.

백문이 불여일견 (百聞 不如一見)

박 사 랑 목사

(5기 비전교회/서울)

🌺 어느 모임에서 성경공부를 하는 프로그램의 한 과정을 마친 후 이제는 기도를 해야 하겠다는 생각이 들어 그런 좋은 곳으로 인도하여 달라고 기도하는 가운데 국민일보의 광고를 보게 되었습니다. 우연이라고 할까, 아니 하나님께서 '여호와이레'로 예비하심이었으리라! 우리 믿는 그리스도인에게는 우연이라는 것은 결코 없으니까….

「특수부대식 기도특공훈련 세미나」란 광고가 눈에 확 들어왔습니다. 이 세미나에 참석을 해야겠다고 결심을 하고 〈성령사역연수원〉으로 발길을 옮겼습니다. 명칭부터가 특이하였기 때문에 잔뜩이나 기대를 하면서 여느 세미나와는 다르겠거니 하는 생각과 기도의 특공 훈련을 도대체 어떻게 하는 것인지 알아보겠다는 생각으로 연수원의 문을 두드렸습니다.

기도 훈련을 시작하기 전에 원장이신 김재선 목사님의 강의는 세상에서 들어보지 못했던 말씀으로 이끌어 가시는데 새롭게 들려오는 말씀 전파의 내용에 절로 감동이 되어 저의 마음을 설레게 하였습니다. 그러나 「특수부대식 기도특공훈련 세미나」를 하게 되었을 때에 처음으로 해보는 이상한(?) 스타일의 기도라서 처음에는 받아들이기가 어려웠고 따라서 하기가 힘들었습니다. 이러한 특수부대식 기도 훈련에 대한 의심도 생기고 내가 잘못 왔나 하는 불안한 마음이 들기도 하면서 제 마음 속에서는 갈등과 번민이 일어나고 있었습니다. 그러나 분명히 뭔가 느낌이 오는 것이 있었는데 그것은 잘못 온 것은 분명 아닌 것 같고 내가 이 기도의 세계에 대해서 잘 모르는 것이 있었다는 생각을 하게 되었습니다.

기도 훈련과 더불어 각종 주제에 따른 세미나의 종류가 이렇게 많은 것도 또한 놀라운 일이었습니다. 이렇게 다방면에서 김재선 목사님 혼자 하시는 것을 보며 대단한 분임에는 틀림없는 것 같았으며 경외심마저 들었습니다.

어떻게 혼자서 여러 분야를 다 감당할 수 있을까 하는 생각도 들고 지칠 줄 모르는 그 열정과 체력을 생각하면 그 능력이 어디에 있는 것일까? 궁금하기도 하면서 저도 본받고 싶은 선한 욕심이 생겼습니다.

세미나의 매 시간 열강 하시면서 토해 내는 말씀 말씀들마다 참석한 모든 이들의 심령에 잘 박힌 못이 될 정도로 그 위력이 대단하였습니다. 김재선 목사님의 그 열정의 비결이 무엇인지를 알고자 하는 관심과 기대로 세미나에 참석하는 발걸음이 늘 희망에 차 있습니다.

특히 제가 연수원에 와서 감탄하고 또 감격스러웠던 것은 「성경 파노라마 기본반 세미나」였습니다. 첫 번째 강의를 듣는 순간부터 영의 세계를 따라가며 말씀을 해석하고 풀어 가는 김재선 목사님의 강의에 사로잡혀 저는 확실하게 "이것이구나!" 하는 강력한 도전을 받게 되었습니다.

「성경 파노라마 전문반」에서 "보디발의 비밀"을 듣게 되었는데 세상에서 지금까지 한 번도 들어보지 못한 내용으로 말씀을 풀어 가며 예수 그리스도를 나타내고 증거 하시는데 놀라움을 금할 수 없었습니다.

그 내용인즉 요셉을 그의 형제들이 은 20개를 받고 이스마엘 상인들에게 팔았다는 것은 우리가 다 알고 있는 얘기이지만 요셉을 보디발이 얼마에 샀는지에 대한 것은 도무지 알 수가 없었습니다.

보디발이 이스마엘 상인의 소유인 요셉을 값을 주고 샀다고 했는데 왜 성경은 얼마를 주고 샀다고 말하지 않았는지, 예수님께서도 우리를 값 주고 산 것은 분명히 맞는데 왜 얼마를 주었다고 말하지 않고 값 주고 샀다고만 하였는지, 벧전 1:18~19의 말씀을 듣는 가운데 그 해답을 알게 되었습니다.

즉 하나님께서는 금과 은으로는 환산할 수 없는 오직 흠 없고 점 없는 어린양 같은 예수 그리스도의 '보배로운 피'로 우리를 샀기에 얼마를 주고 우리를 샀다고 말씀하지 않고 너희는 값으로 산 것이 되었으니 너희 몸으로 하나님께 영광을 돌리라고 하시며 너희는 값으로 사신 것이니 사람들의 종이 되지 말라고 하신 것입니다.

뿐만 아니라 「성경 파노라마 기본반 세미나」에서 우리가 몰라서 잘 다루지 않았던 '창세 이전의 영의 세계'를 공부하였을 때 영의 세계에서 창조 이전에 하늘에서는 어떤 일들이 벌어지고 어떤 일들이 생겼는지에 대해 무지를 깨우치며 말씀을 보다 깊게 이해하는 시간이 되었습니다. 그동안 세상에서 들어보지 못했던 영의 세계를 열어 나가는 말씀들을 듣게 되었으며 성경을 성경대로 해석해 나가는 방법을 배우게 되는 아주 특별한 세미나임에 틀림 없었습니다.

「성경 파노라마 전문반」 강의를 듣는 가운데 저에게는 새로운 각오와 다짐이 일어나게 되었습니다.

요5:39 에서 "너희가 성경에서 영생을 얻은 줄 생각하고 성경을 상고하거니와 이 성경이 곧 내게 대하여 증거 하는 것이로다"라고 하신 말씀처럼 이제는 세상의 윤리와 도덕을 말하려고 하는 것이 아니라 말씀 안에서 예수 그리스도를 드러내고 그 말씀의 주인공이신 예수 그리스도로 풀어 나가는 영맥을 찾고자 노력하게 되었습니다.

「성경 파노라마 전문반」에서 강의를 들으면서 내 영이 살아나는 것을 느낄 수 있었으며 또한 성경에 대한 지식도 새롭게 깨달아가며 많이 알아가는 저의 모습을 보면서 말씀에 대한 무지함을 통탄하지 않을 수 없음을 솔직히 시인합니다. "그동안 내가 소경이었구나, 소경이 소경을 인도 하였구나"는 생각을 하면서 지금까지의 목회가 너무 부끄러워서 고개를 못 들 정도입니다.

〈성령사역연수원〉 세미나 중에 최고의 가치 있는 것 하나를 꼽으라고 한다면 단연코 성경 파노라마 강의가 아닐까 생각합니다.

깨어 있어서 말씀에 갈급해 있는 성도들이 이 말씀을 듣게 될 때 놀라운 변화들이 일어나는 것을 보게 될 것입니다.

백문이 불여일견(百聞 不如一見)이라고 사람들은 말하지요?

영의 세계를 풀어 가는 말씀 해석에 대해 관심이 있는 분들이 참석하여 듣고 보게 된다면 결코 후회함이 없는 세미나인 것을 확신합니다.

끝으로 김재선 목사님과 귀한 만남을 허락해 주신 하나님께 진심으로 감사를 드립니다.

사람은 누구나 만남의 축복이 있어야 하는데 이렇게 너무나도 귀한 하나님의 사자를 만난 것을 영광으로 생각하며 기대에 부응하는 사역자가 되려고 노력할 것입니다.

〈성령사역연수원〉의 무궁한 발전을 기원하며 저 하늘나라의 상급을 위해서 수고하시는 모든 분들께 감사를 드립니다.

영맥을 따라 풀어가는 성경적 설교

박 태 종 목사

(1기 은혜와 평강교회/인천)

저는 목회자가 되기 전 평신도 시절부터 하나님의 말씀을 제대로 은혜롭게 전하시는 목사님을 만나서 신앙생활을 하기를 꿈꾸며 그런 간절한 바램으로 많이 기도해 왔습니다.

그런데 일반 교회의 강단을 보면 하나님께서 우리들이 깨닫기를 바라는 성경 본문과는 너무나 거리가 먼 세상 이야기들이 무성하고 간증들이나 유명한 저자의 책속에 있는 내용을 소재삼아 하는 설교를 들으면서 제 마음에 찾아오는 답답함과 허전함과 실망감을 감추지 못했었습니다.

그러다가 제가 막상 소명을 받아 목사가 되어 강단에서 말씀을 전하는 자리에 서고 보니 저 또한 일반 교회의 목회자들과 다를 바 없이 똑같은 전철을 밟고 있음에 탄식하지 않을 수 없었습니다.

그러면서도 스스로 저의 설교 강단을 돌아보며 생각하기를 "설교를 이렇게 하면 안 되는데…" 하는 깊은 고민에 빠지게 되었고 하나님께 도우심을 구하며 기도하고 매달리고 있던 어느 날,

제가 잘 아는 목사님의 교회에서 부흥 집회가 있어 참석하게 되었는데 그때 김재선 목사님께서 강사로 말씀을 전하고 계셨습니다. 그날, 저는 김목사님의 말씀을 들으면서 설레임으로 제 가슴이 뛰면서 뜨거워지기 시작했고, 제 마음 깊은 곳에서부터 알 수 없는 기쁨이 밀려오기 시작했습니다.

그토록 제가 찾았고, 듣고 싶었고, 증거하고 싶었던 하나님의 말씀, 바로 그런 말씀을 집회 강사로 오신 김재선 목사님께서 전하고 있는 것이었습니다. 저는 그날 부흥 집회에 참석하여 형용할 수 없는 엄청난 충격을 받았습니다.

그것이 계기가 되어 김재선 목사님이 원장으로 있는 〈성령사역 연수원〉에 오게 되었고 먼저 「특수부대식 기도특공훈련 세미나」에 등록하여 훈련을 받기 시작 했습니다. 그러나 기대와는 달리 기도 훈련을 한다고 하는 것이었습니다. 저도 처음에는 영적 분위기 파악이 잘 되지 않아 두리번거리면서 의아해 하기도 하였습니다. "아니 무슨 기도를 훈련해? 기도도 훈련을 해야 하나? 기도는 그냥 하는 것이지, 무슨 훈련이 필요해? 기도면 기도지 무슨 특수부대식 기도특공 훈련이야?" 라고 의문을 제기할 분도 있을 것입니다.

그러나 「특수부대식 기도훈련 전문반」에 들어와 기도 훈련을 받는 가운데 확신이 오는 것이 있었는데, 기도는 우리가 필요로 하는 것을 하나님께 구하고 하나님께 아뢰는 것이기도 하지만, 기도는 또한 영적 전쟁의 무기이기도 하다는 것입니다. 우리의 삶을 무너뜨리려는 사악한 영들과의 싸움에서 승리하기 위해서 영권을 쌓는 기도, 바로 이 기도를 훈련한다는 것을 알게 된 것입니다. 그래서 "특수부대식 기도특공훈련" 이라고 이름을 붙인 것입니다. 아기가 끝없이 일어서다 넘어지고 일어서다 넘어지고 하는 걸음마 연습을 통해서 잘 걸을 수 있는 것처럼 기도도 훈련을 하므로 능력있는 기도를 잘 할 수가 있습니다.

기도 훈련을 하면서부터 그동안 답답했던 마음이 사라지기 시작했습니다. 가슴이 뻥 뚫린 기분이었으며 날아가는 기분이었습니다.

영원한 하나님의 세계를 인간이 다 안다는 것은 어려운 일이지만 분명히 하나님께서 인간으로 하여금 알 수 있도록 성경에 기록해 놓으셨음이 분명하기에 하늘의 영의 세계를 조금이나마 알고 깨닫게 되기를 바라며 기대에 찬 모습으로 열심히 훈련에 임하고 있습니다.

본격적으로 시작된 기도 훈련과 그리고 기도와 연결되는 각종 세미나들을 통해서 조금씩 조금씩 제 자신이 변화되어 감을 느끼게 되었고 설교가 바뀌게 되었으며 목회 마인드가 완전히 바뀌어 가기 시작했습니다.

그동안에는 사람들이 듣기에 좋고 사람들을 기쁘게 하는 설교를 하는 부족하였던 저 자신의 모습을 솔직히 고백하며 「성경 파노라마 전문반」 강의를 듣고 이제는 하나님이 기뻐하시는 설교의 패턴으로 바뀌게 되었는데 오직 예수 그리스도만 증거하는 설교를 하게 되니까 설교자인 저 자신도 얼마나 기쁘고 확신에 차 있는지 말로 표현을 다 할 수 없습니다. 설교를 통해서 예수 그리스도를 드러내야 하는데 그분께서 하신 일을 증거 하는 것이 아니라 예수 그리스도가 어떤 분이신지 영맥을 따라서 세상 창조 이전, 즉 영원 세계에 계셨던 예수 그리스도를 증거하게 되었습니다.

성경에 기록된 인물들과 사건들이 정확히 예수 그리스도를 증거하고 있음을 깨닫게 되고 예수 그리스도를 나타내는 설교를 할 수 있게 된 것이 얼마나 감사한지 이루 말할 수 없습니다. 설교 중에 간증을 하거나 세상 돌아가는 이야기를 할 시간이 없습니다. 성경을 통해서 오직 예수 그리스도만을 증거하고 오직 예수 그리스도만을 나타내는 데에도 시간이 부족할 지경입니다.

"모세를 믿었더면 또 나를 믿었으리니 이는 그가 내게 대하여 기록하였음이라"(요5:46)고 성경은 예수 그리스도를 증거하고 있습니다. 구약성경은 이 세상에 오실 주님만 증거 하는 책이 아니고 창조 이전에 계신 그리스도와 이 세상에 오신 주님, 그리고 다시 오실 주님을 폭넓게 증거하고 있습니다. 다만 우리의 눈이 어두워 수건이 얼굴을 가리워서 제대로 보지 못함이 안타까울 뿐입니다.

〈성령사역연수원〉에서 행하는 세미나 중에 「성경 파노라마 기본반 세미나」와 「성경 파노라마 전문반」은 모든 목회자들이 반드시 들어야 할 세미나라고 생각합니다.

성경을 100독, 1000독을 했다고 해서 성경이 알아지거나 열리는 것은 아닙니다. 단지 성경의 내용만을 알 뿐입니다.

성경 내용만 아는 것으로 하나님의 말씀인 성경을 안다고, 열렸다고 말할 수는 없습니다.

「성경 파노라마 기본반 세미나」와 「성경 파노라마 전문반」은 성경을 보는 눈을 열어주며, 성경을 바라보는 관점을 완전히 바뀌게 합니다. 성경에서 수많은 보화를 발견하게 됩니다. 성경에서 수많은 보화를 캐내게 됩니다. 목사님들은 무슨 설교를 할 것인가 고민하지 않아도 됩니다. 설교할 것이 너무도 많습니다. 언제 이 많은 것을 다 설교할까? 하면서 오히려 행복한 고민을 하게 됩니다. 한 본문을 가지고 적게는 서너 편, 많게는 수십 편의 설교를 시리즈로 만들 수가 있게 됩니다.

구약성경인 창세기에서 요셉이 두 번의 꿈을 꾸고 형제들로부터 핍박과 여러 가지 어려운 일을 당하고 고난 끝에 애굽의 총리가 되는 사건이 나옵니다. 하나님께서는 우리들이 이 말씀을 통하여 무엇을 알기를 원하고 무엇을 깨닫기를 원하는 것일까? 이 말씀이 좋은 꿈을 꾸고 하나님의 말씀에 잘 순종하고 어떠한 환란도 잘 견디고 나면 요셉처럼 좋은 일이 생길 것을 말씀하고 있다고 한다면 하나님의 말씀을 육신의 복, 땅의 일, 육신의 일만을 말씀하는 것이 되고 맙니다.

전지전능하신 하나님께서 우리들이 겨우 그런 것을 알기를 원하셔서 이 말씀을 창세기에 기록해 놓으셨다고 생각지 않습니다. 이 말씀 속에는 하나님의 엄청난 비밀이 숨겨져 있습니다. 하나님께서 우리들이 알기 원하는 말씀을 기록해 놓으셨습니다. 바로 「성경 파노라마 기본반 세미나」와 「성경 파노라마 전문반」을 통하여 그것을 알 수 있습니다.

설교자는 반드시 영맥을 따라 말씀을 풀어가며 성경적인 설교를 해야만 합니다.

이 외에도 〈성령사역연수원〉에서 행하는 모든 세미나는 김재선 목사님께서 직접 체험하신 모든 것들을 성경적으로 정확한 이론을 정립하여 증거 하고 있습니다.

우리들도 모든 것들을 하나님께로부터 직접 받아 행하며 사역하는 것이 바른 길이지만 그렇게 되기까지는 시간이 많이 필요하게 되겠지요. 그래서 모든 것이 준비되어 있는 〈성령사역연수원〉을 통하여 연약하고 나약한 우리가 훈련받아 갈고 다듬어진 십자가 군병으로 거듭 날 때에 흑암과 같은 이 마지막 시대에 빛나는 별과 같이 쓰임 받는 하나님의 큰 일군들이 될 줄로 믿습니다. 할렐루야!

세미나참가 소감 및 간증문
성령의 사람들

인 쇄	2010년 8월 5일	
발 행	2010년 8월15일	
발 행 인	김재선	
편집책임	진홍선	
편집위원	김정현 신수영	
발 행 처	성령사역연수원 출판부	
주 소	서울시 광진구 중곡2동 140-2	
	D.S빌딩	
전 화	02)444-9002	
	010-4440-9002 010-4441-9002	
홈페이지	http://www.papapag.com	
E - mail	powerman0191@hanmail.net	
등 록	제25100-2010-000043호	

ISBN 978-89-964890-0-9 03230

값 12,000 원

※ 이 책의 내용을 읽고 간증자를 초청하고 싶은 분은
성령사역연수원으로 연락 주시기 바랍니다.